# Trampa de amor

# ANGIE RAY

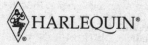

HARLEQUIN®

Editado por HARLEQUIN IBÉRICA, S.A.
Hermosilla, 21
28001 Madrid

I.S.B.N.: 84-671-1438-X
Depósito legal: B-47119-2003
Editor responsable: M. T. Villar
Diseño cubierta: María J. Velasco Juez
Fotomecánica: PREIMPRESIÓN 2000
C/. Matilde Hernández, 34. 28019 Madrid
Impresión y encuadernación: LITOGRAFÍA ROSÉS, S.A.
C/. Energía, 11. 08850 Gavá (Barcelona)
Fecha impresión Argentina:19.9.04
Distribuidor exclusivo para España: LOGISTA
Distribuidor para México: CODIPLYRSA
Distribuidores para Argentina: interior, BERTRAN, S.A.C. Vélez
Sársfield, 1950. Cap. Fed. / Buenos Aires y Gran Buenos Aires,
VACCARO SÁNCHEZ y Cía, S.A.
Distribuidor para Chile: DISTRIBUIDORA ALFA, S.A.

PRÓLOGO

SENTÍA que le abrasaban los pulmones. Las gotas de sudor le resbalaban por la frente, se le metían en los ojos y le nublaban la vista. El público cada vez gritaba más y él, aunque apenas lo oía debido al martilleo de la sangre en los oídos, sabía por qué gritaban.

La meta estaba a pocos metros

Le dolía todo el cuerpo. No podía correr más, pero debía hacerlo. Agonizante, consiguió entrar en la línea de meta una cabeza por delante del otro competidor.

—¡Y gana… Brad Rivers! —gritaron por megafonía.

El público rugió, enarboló banderines y tiró confeti.

Ambos competidores siguieron corriendo a menor velocidad para no sufrir lesiones musculares. Ambos respiraban con dificultad.

—Maldita sea, Brad, me has vuelto a ganar —dijo el más bajito al cabo de unos segundos.

Brad se rio a pesar de que le dolía todo.

—No estaba dispuesto a entregarte el trofeo —contestó—. Me gusta cómo queda en mi mesa.

–Querrás decir que te gusta darme envidia con él –dijo George Yorita, su socio y mejor amigo.

–Venga, ya, George. Nunca he hecho eso.

–¿Ah, no? ¿Y entonces por qué le sacas brillo siempre que entro en tu despacho?

–Porque los trofeos hay que cuidarlos…

–Ya, claro –se rio George.

En ese momento, apareció una mujer de rasgos japoneses con un niño pequeño en brazos.

–Te he visto correr, papá –dijo el pequeño–. ¿Por qué has dejado que el tío te ganara?

George sonrió y abrazó a su mujer y a su hijo.

–Brad tiene muy claro lo que quiere y, cuando se propone algo, lo consigue.

–Estás malacostumbrado, Brad –remarcó Laura Yorita–. No siempre puede uno conseguir lo que quiere.

–Hasta ahora, sí –murmuró George–. Se acaba de comprar un cochazo que no puedes ni imaginar. Un Mustang del 65 en perfectas condiciones, descapotable, con los asientos y los tapacubos originales y…

–¿Te quieres quedar aquí cayéndosete la baba mientras hablas del coche de Brad o me acompañas a casa a acostar a Collin? –lo interrumpió su mujer.

–No, voy contigo –sonrió George–. Nos vemos el lunes en la oficina, Brad. Más te vale no llegar con ese coche y no sacarle brillo al trofeo delante de mí, ¿eh?

Brad observó a la familia alejarse. George

agarró a su hijo de la mano y a su mujer de la cintura y le dijo algo al oído que la hizo reír.

No, no era cierto. No tenía todo lo que quería. Todavía le quedaba una cosa.

–¿Quiere agua, señor?

Brad agradeció el detalle y se dedicó a observar a los demás corredores que estaban cruzando la meta.

Acababa de entrar una mujer muy guapa, de pechos grandes, cintura estrecha y piernas largas. Le parecía conocida.

Sí, de repente lo recordó. La había conocido en una fiesta hacía unas semanas y alguien le había dicho que era actriz.

Entonces, no le había prestado demasiada atención, pero ahora se fijó más atentamente en ella. Era guapa y caminaba con elegancia y seguridad. Además, no llevaba alianza.

Se le ocurrió una idea.

Una idea loca, completamente ridícula.

Sí, también había sido una idea de locos montar una empresa de electrónica con todas las existentes cayendo en Bolsa de forma estrepitosa o entrar en Internet cuando todas las .com estaban cerrando.

En breve, lo iba a intentar y le iba a salir bien porque lo cierto era que todo lo que se proponía le salía bien.

# CAPÍTULO 1

EL VESTIDO de novia brillaba bajo los rayos del sol que entraban en el escaparate aquella tarde. Era una maravilla color crema con rosas bordadas. Un vestido digno de la Cenicienta.

El sueño de toda mujer cuando se va a casar con su Príncipe Azul. La semana siguiente una mujer lo iba a llevar puesto mientras avanzara por el pasillo hacia el altar para casarse con el hombre de sus sueños.

Samantha Gillespie se estremeció.

Había sido una reacción involuntaria porque, en realidad, no tenía nada en contra del matrimonio, pero no quería casarse inmediatamente por mucho que su madre insistiera en que con veinticuatro años ya iba siendo hora.

Tenía toda la vida por delante y muchas posibilidades se abrían en el horizonte. ¿Por qué iba a querer dejarlas pasar de largo para casarse?

–¿Has terminado ya? –preguntó una voz impaciente.

Sam se giró y miró a su hermana Jeanette, que era una mujer menuda y nerviosa.

–Me parece que le voy a poner unas cuantas rosas más por la espalda.

–¡Por Dios!

–¿Por qué no me dejas que te haga un traje nuevo? –le preguntó Sam fijándose en el que llevaba.

Debía de tener medio siglo, por lo menos.

–Acabamos de recibir un lino rojo que te quedaría de miedo –insistió.

–No, gracias –contestó su hermana–. Prefiero que te preocupes por los vestidos de la señorita Blogden. Su madre y ella van a llegar en una media hora y se va a poner como una furia si sus vestidos no están terminados.

–No te preocupes –la tranquilizó Sam enhebrando una aguja con hilo rosa.

–¿Por qué siempre lo dejas todo para el último momento? –protestó su hermana–. Parece mentira que no conozcas a la señora Blogden.

Sam suspiró. Además de ir siempre vestida de forma aburrida, a su hermana le encantaba echarle en cara su falta de puntualidad.

–No te preocupes, va a estar terminado para cuando lleguen –le aseguró cosiendo el vestido.

–Siento mucho dejarte a solas con ella, pero le prometí a Matt que volvería pronto esta noche.

–¿Qué tal está?

–Bien.

Sam no insistió. Sabía que Jeanette y su marido no hacían más que discutir últimamente, pero su hermana no soltaba prenda. Sam espe-

raba que fueran capaces de arreglar sus problemas… aunque solo fuera por el bien de sus tres
hijos.

–Vete tranquila –le dijo–. No te preocupes por
la señora Blogden.

–Es imposible no preocuparse con esa mujer
–murmuró Jeanette–. No podemos perder ni una
sola clienta… Por cierto, te ha llamado Brad
hace media hora. Quería hablar contigo.

–¿Brad? ¿Qué quería?

Se le había caído el dedal al suelo, pero no le
dio importancia.

–Si hubieras llegado a tu hora, lo sabrías.

Sam puso los ojos en blanco mientras su hermana salía del taller.

–¿Era algo importante?

–No, dijo que te volvería a llamar.

Qué raro. Sam se agachó en busca del dedal.
No había hablado con Brad desde Navidad y de
eso hacía ocho meses. Acababa de volver al sur
de California después de estar dos años fuera y,
al llegar a casa de su madre, tarde por supuesto,
se lo había encontrado allí.

Se había alegrado muchísimo de verlo, pero él
no parecía opinar lo mismo. Se había mostrado
frío y distante. Al principio, Sam pensó que era
porque llevaban mucho tiempo sin verse, pero
pronto se dio cuenta de que había algo más.

Se lo había preguntado claramente, pero Brad
le había dicho que no le pasaba nada.

Lo había llamado varias veces a lo largo de
aquellos meses, pero Brad siempre ponía excu-

sas. Cuando no había ido a cenar con ellos en Pascua, la familia de Sam se había sorprendido mucho.

Siempre pasaba las fiestas en su casa. Desde que Samantha tenía catorce años y, de repente, no podía ir por «exigencias de trabajo».

Dolida y confusa, Sam había dejado de llamarlo y él no había hecho el más mínimo intento de ponerse en contacto con ella.

Hasta aquel día.

Sam frunció el ceño. ¿Qué querría decirle después de haberla ignorado durante tanto tiempo?

Jeanette volvió con el bolso colgado del hombro y un montón de revistas.

–Aquí te dejo las últimas revistas de novias y otra cosa que creo que te va a hacer gracia ver –le dijo su hermana entregándole un tabloide.

Sam se quedó mirando la fotografía de la portada. Era un hombre con la mano extendida intentando tapar el objetivo de la cámara.

El titular leía *¿Se puede ser tan buena persona como este hombre?*

Sam lo reconoció inmediatamente.

–¿Brad? ¿Me habrá llamado por algo relacionado con esto?

–Puede –contestó Jeanette abriendo el periódico–. Dice que va a vender RiversWare por cien millones de dólares y que va a repartir la mitad entre sus empleados. Increíble, ¿verdad?

–Siempre ha sido muy generoso –contestó Sam cosiendo otra rosa–. Pero, ¿eso qué tiene que ver conmigo?

–Dice también y leo textualmente: «Aunque Rivers no ha querido hacer declaraciones, fuentes solventes nos han asegurado que quiere utilizar el dinero para convencer a su amada de que se case con él» –leyó Jeanette–. Se debe de referir a ti, Sammy.

Sam se pinchó el dedo. Maldijo y se limpió para no manchar el vestido.

–Estás loca. Brad y yo nunca nos hemos gustado. Solo somos amigos.

–¿Eso crees? La amistad entre hombre y mujer no existe. Brad estaba enamorado de ti.

–De eso nada. ¿No te acuerdas de que estaba enamorado de Blanche Milken?

–Ja. Jamás le gustó tanto como tú. Él no fue el mismo cuando María Vásquez y tú os fuisteis a recorrer el país en tren. ¡Y deberías ver la cara que se le quedó cuando mamá le dijo que te ibas de mochilera a Europa!

–¡Deberías de haberle visto la cara que se le quedó cuando me vio aparecer en casa de mamá las navidades pasadas! –protestó Sam–. Las piedras de Stonehenge son más expresivas, te lo aseguro. No creas que fue un recibimiento como el que se le dispensa al amor de toda la vida que vuelve a casa.

–Nunca has entendido a Brad, pero ahora no tengo tiempo de discutir contigo. Tengo prisa –contestó su hermana dejando las revistas y el periódico en el suelo–. Ya son más de las seis.

Acompañó a su hermana hasta la puerta para cerrarse con llave pues a Jeanette le daba miedo que se quedara sola y, cuando volvió al taller, pensó en sus palabras.

¿Que no entendía a Brad? ¡Pero si nadie lo conocía mejor que ella!

Tomó el periódico y, al abrirlo, se encontró con una fotografía de Brad hacía más de cinco años. Estaba posando con las manos en los bolsillos y miraba fijamente a la cámara con sus preciosos ojos azul grisáceos.

Samantha sonrió. Se acordaba del traje que llevaba. Brad se lo había comprado para la graduación. La postura que lucía era la típica de Brad. Cuando lo había visto por primera vez, muchos años atrás, cuando se había mudado al barrio con su abuela, ya la tenía.

Entonces, Brad contaba diecisiete años y era un chico callado y serio. Ella tenía catorce y no eran amigos hasta que un día Sam descubrió a sus amigos y a su novio metiéndose con Brad.

Pete se enfadó tanto con ella que la dejó una semana después, pero a Sam le dio igual. No le gustaba tener novio porque lo encontraba agobiante.

A partir de entonces, Sam había empezado a coincidir cada vez más a menudo con Brad. Hasta que, un día, lo invitó a él y a su abuela a cenar con ellos el día de Acción de Gracias.

Su madre lo adoptó rápidamente como a un hijo al enterarse de que sus padres y su hermana habían muerto en un accidente de coche. Tanto Brad como su abuela, hasta que murió, pasaron a formar parte de la familia.

Samantha dejó el periódico y cosió un par de rosas más en el vestido.

Incluso mientras Brad se había ido a la universidad, su amistad no había hecho sino crecer. La había ayudado con algunas asignaturas y se habían reído mucho en aquella época.

Brad era la única persona con la que Sam podía hablar. Siempre le había contado sus problemas y él la había escuchado con paciencia y comprensión. Sabía que podía contar con él y estaba convencida de que serían siempre amigos.

Su comportamiento en Navidad había sido un gran golpe. ¿Qué querría de ella ahora?

«Brad estaba enamorado de ti».

Las palabras de Jeanette se repetían en su cabeza.

¿Cómo iba a ser así? Jamás habían salido, nunca habían sido novios y no habían hablado de matrimonio ni de lejos.

Bueno, habían hablado de ello una vez, pero en términos generales.

–¿Tú te quieres casar? –le había preguntado Brad cuando Sam terminó el colegio.

–No hasta que sea muy mayor –contestó–. Por lo menos, hasta los treinta.

Iban en bici por el Santa Monica Boulevard y, al llegar a la playa, Sam descubrió a Brad mirándola fijamente.

–¿Y tú? –le había preguntado ella mirando de reojo cómo su amigo se ponía crema en el torso.

–Sí, algún día –había contestado Brad–.

Quiero tener hijos y una mujer cuando vuelva a casa por las noches.

–Qué aburrido. Yo quiero viajar. Quiero divertirme, quiero…

–¿Qué quieres exactamente?

–No lo sé –había confesado–, pero lo sabré algún día.

Habían pasado seis años de aquello y seguía sin saberlo. Siguió cosiendo. ¿No habría llegado el momento de buscarse un trabajo de verdad?

Antes de dejar la universidad, se le daba bien la contabilidad y había trabajado tanto en Estados Unidos como en Europa. No le tenía por qué costar mucho esfuerzo encontrar algo.

¿Y por qué no volver a la universidad? Lo llevaba pensando un año. Podía terminar sus estudios de Economía gracias a la herencia de su padre. No daba para vivir lujosamente, pero sí lo suficiente como para poder estudiar y vivir bien.

Había aceptado trabajar con su hermana para ayudarla y porque le gustaba la tienda, pero sabía que Jeanette no podía permitirse tener una empleada mucho más tiempo, así que debía tomar una decisión.

Llamaron a la puerta. Eran las siete. La señora Blogden había dicho que su hija y ella iban a llegar, como muy tarde, a las seis y media, ¿verdad? Jeanette se tendría que haber quedado y haberlas regañado, como hacía con ella.

Volvieron a llamar.

Sam se levantó, sacudió su melena rizada y se

quitó los hilos que se le habían quedado por los vaqueros.

Y volvieron a insistir.

–Qué pesadas –murmuró Samantha.

Sin embargo, compuso una sonrisa radiante antes de abrir la puerta.

–Su vestido ya está terminado…

El hombre de ojos azul grisáceos sonrió divertido.

–Siempre me has tenido por una tipo peculiar, Sammy.

# CAPÍTULO 2

SAMANTHA se quedó mirándolo atónita.
¿Brad?
Lo había visto hacía solo ocho meses, pero estaba cambiado. Muy cambiado.

Ya no llevaba gafas, llevaba un traje hecho a medida y gemelos de plata. Llevaba el pelo bien cortado y la manicura hecha. Además, lucía un Rolex en la muñeca y unos zapatos de piel italiana en los pies.

Pero el cambio no radicaba solo en la ropa. También olía a colonia y estaba más fuerte.

–¿Peculiar? –repitió como una tonta.

–Puede que haya hecho algunas locuras en esta vida, pero todavía no me pongo vestidos –contestó Brad.

–¿Ah, sí? ¿Como qué? –sonrió Sam–. ¿Como saltarte una clase para irte a programar?

–No, cosas que te sorprendería mucho saber –contestó Brad con un brillo familiar en los ojos.

Sam se rio. La primera impresión de que había cambiado se esfumó. Aquel seguía siendo su Brad, el amigo del colegio con el que siempre se reía. Su mejor amigo.

Aunque lo cierto era que, aunque estaba sonriente, no la había abrazado ni besado.

—¿Qué quieres? —le preguntó.

—Tengo que hablar contigo. Te iba a llamar, pero lo que te tengo que decir es demasiado importante como para decírtelo por teléfono.

«¿Cómo?», pensó Sam recordando las palabras de su hermana.

«Brad estaba enamorado de ti».

Intentó dejar de pensar en ello. Llevaba ocho meses sin hablar con ella. Eso no era amor.

—Vas de traje —comentó intentando disimular su nerviosismo—. Te queda muy bien. ¿Intentas impresionar a alguien?

—A ti, espero.

Sam se agarró al pomo de la puerta.

—Estoy muy impresionada —contestó intentando calmarse.

—¿De verdad? ¿Puedo pasar?

—Claro, por supuesto —contestó Sam apartándose.

Brad miró a su alrededor y se fijó en el sofá verde y en la mesa de pino cubierta de catálogos, en el papel color melocotón con florecitas blancas y en los vestidos de diferentes colores que estaban colgados de la pared.

—¿Lo has hecho tú? —le preguntó fijándose en el vestido de la señorita Blogden.

Sam asintió orgullosa.

—Siempre se te dio bien la ropa —apuntó Brad—. ¿Recuerdas aquellas navidades que me regalaste unos pantalones de rapero, una camiseta negra, unas gafas de sol plateadas y me dijiste que me dejara perilla?

Sam no pudo evitar sonreír.

–Está bien, está bien. No acerté, pero te lo podías haber puesto por lo menos una vez. ¡Ni siquiera lo estrenaste!

–No era mi estilo –contestó Brad mirando de nuevo los vestidos–. ¿Los haces tú todos?

–No, la mayoría son de serie. Yo solo coso un vestido cuando es un encargo especial. Así, ayudo a Jeanette. Le va muy bien. Abrió hace solo un año, pero ya casi tiene beneficios. Tiene seis bodas en junio y dos más al mes para el año próximo. La acabo de ayudar con una ceremonia en Arboretum, en Arcadia. Tuvimos que encargarnos de las diez damas de honor, del arpista, de los fuegos artificiales y de muchas cosas más. Fue tan bonita que, al finalizar, soltamos diez mil mariposas Monarca y… –se interrumpió al darse cuenta de que estaba hablando sin parar–. Perdón.

–Me gusta escucharte. Recuerdo que Jeanette dijo hace ya diez años que quería poner una tienda de novias.

–Yo no creía que lo fuera a conseguir, ¿sabes? Le ha costado lo suyo.

–Es normal. Lo importante es no tirar la toalla.

–Mmm –contestó Sam–. ¿Me querías hablar de la tienda de Jeanette? ¿Por eso has venido?

–Tan directa como siempre, ¿eh? No, obviamente, no he venido por eso. He venido porque te quería pedir una cosa…

–Ah…

–Sí –dijo Brad mirándola a los ojos–. Quería pedirte perdón por cómo me he comportado últimamente. Estaba… bloqueado por una cosa y he dejado que esa situación afectara a mis amistades.

–¡Oh, Brad! –exclamó Sam tocándole el brazo–. ¿Y has solucionado esa situación?

–No, pero lo estoy intentando –sonrió–. Mientras tanto, quería preguntarte si podemos volver a ser amigos.

–Por supuesto –sonrió Sam–. Te he echado de menos.

–¿De verdad? –dijo Brad apartándole un rizo de la frente–. Creí que te habías olvidado de mí.

–Eso es imposible. Eres el hombre más encantador que conozco. Siempre te he tenido por mi mejor amigo.

En ese instante, Brad dejó caer la mano y la miró de forma extraña.

–Me alegro –sonrió–. Así, la próxima pregunta será más fácil.

Sam se puso tensa.

–No me mires así, que no es para tanto –rio Brad.

–Brad…

–Por favor, Sammy, escúchame. Hace mucho tiempo que me quiero casar…

–Oh, Brad…

Su hermana tenía razón. ¡Le iba a pedir que se casara con él!

–Y, por fin, he encontrado a una mujer que quiere casarse conmigo.

–Me temo… ¿Qué has dicho? –preguntó confundida.

–Dame la enhorabuena –sonrió Brad–. He conocido a la mujer de mis sueños y me ha dicho que se quiere casar conmigo. Se llama Heather Lovelace y es la criatura más guapa, dulce y buena del mundo.

Samantha no podía articular palabra. ¿Se estaba mareando? ¿Brad se iba a casar? Nunca se lo había planteado…

–Y queremos que tú le hagas el vestido y que tu hermana se ocupe de todo lo demás –continuó Brad–. Sammy, ¿estás bien?

–Sí, sí, muy bien –contestó intentando no sentir el vértigo que hacía que la tienda le diera vueltas–. Encantada de hacerle el vestido –consiguió sonreír– y, si Jeanette no puede hacerse cargo de los preparativos, me encargaré yo –le prometió.

–Gracias, Sammy. Heather está en el coche porque quiere conocerte. ¿Te vienes a cenar con nosotros?

–Ay, no puedo –contestó automáticamente.

No se sentía muy bien. ¿Tendría un resfriado veraniego?

–¿Por qué?

–Porque… eh… ¿Cómo voy a salir a cenar vestida así?

–Pero si estás preciosa.

–Pero tú vas de traje.

–¿Y no hay algún vestido en la tienda que te puedas poner?

Sí, sí lo había, por supuesto. Sam se mordió el labio. ¿Qué le ocurría? Hasta hacía poco tiempo se moría por retomar su amistad con Brad y ahora él estaba allí proponiéndole exactamente eso.

¿Por qué la feliz noticia de su matrimonio la había afectado de forma tan extraña? Se alegraba por él, ¿verdad? Claro que sí. Se iba a casar y a ser feliz para siempre.

Si es que aquello podía ser.

Sam había visto a parejas casadas en acción, peleándose y gritándose. Por eso, lo que Brad le acababa de decir la había dejado mal, porque no quería que su amigo sufriera.

–No puedo, de verdad –insistió–. Estoy esperando a una clienta –añadió mirando la hora.

Más de las siete y media. Obviamente, la señora Blogden no iba a aparecer.

–¿No podrías cancelar la cita? Sammy, por favor –le rogó Brad.

–Bueno…

Lo cierto era que quería conocer a la prometida de Brad. Le había dicho que era la mujer más guapa del mundo. Sí, pero no debía hacerle mucho caso porque, al fin y al cabo, estaba enamorado de ella, ¿no?

También había dicho que era dulce y buena. Eso le recordó a Blanche Milken, la chica de la que Brad se había enamorado en el colegio. La pobre era una triste empollona de carácter gris.

–Muy bien –decidió Samantha–. Voy a cambiarme y a llamar a la señora Blogden. No tardo nada.

–Estupendo. Voy a decírselo a Heather. Te esperamos fuera.

Brad salió y Sam fue al taller. La asistenta de la señora Blogden le informó de que la señora estaba en una fiesta e iba a volver tarde. Aquello no la sorprendió demasiado. Solía no presentarse y no llamar para cancelar las citas.

Con la conciencia tranquila, eligió un vestido de punto negro y se lo puso. Lo combinó con unas sandalias de tacón que elevaban su altura de un insignificante uno sesenta a un respetable metro sesenta y cinco.

Se peinó y se tapó las pecas con maquillaje.

«Aceptable», se dijo al mirarse al espejo.

Antes de salir, tomó un jersey de lana negro a juego con sus oscuros rizos que realzaban el color verde dorado de sus ojos.

Cuando salió, se encontró un coche deportivo rojo aparcado. Allí estaba Brad, de pie junto a él y agarrando de la cintura a una altísima rubia de cuerpo escultural y vestido color bronce.

Samantha dio un traspié. ¿Aquella era su prometida? ¡Era espectacular! Parecía una modelo e incluso lucía un pecho de silicona parecido. Llevaba unas magníficas sandalias de Jimmy Choo que hacía que sacara a Sam una cabeza.

De repente, se sintió como un trol a su lado.

Aquella mujer no se parecía en absoluto a Blanche Milken.

–Hola, Heather, soy Samantha Gillespie –sonrió tendiéndole la mano.

La rubia la ignoró y la envolvió en un abrazo de Chanel No. 5.

–¡Samantha! ¡Brad me ha hablado mucho de ti!

–¿De verdad? –murmuró Sam medio ahogada.

Heather sonrió encantadora. Tenía los dientes tan perfectos como el resto del cuerpo.

–Sí, la verdad es que, al principio, cuando me dijo lo amigos que erais tuve celos, pero ahora que te he conocido me doy cuenta de que no tenía motivos para tenerlos.

Sorprendida, Sam la miró con los ojos muy abiertos.

¿Había dicho aquella mujer… más bien, niña… lo que a Sam le parecía que había dicho?

Heather sonreía y la miraba con ojos azules e inocentes.

–Ya te dije que era una tontería –sonrió también Brad–. Samantha y yo siempre hemos sido amigos, ¿verdad, Sam?

–Verdad –contestó Sam diciéndose que Heather no lo debía de haber dicho con mala intención–. Te vas a casar con un hombre realmente bueno.

–¿Bueno? –dijo la rubia deslizando un dedo por el pecho de Brad–. No sería esa la palabra que elegiría yo precisamente para describirte, cariño.

Sam frunció el ceño ante la implicación sexual de las palabras de Heather. Miró a Brad esperando que su amigo dijera algo, pero él se limitó a agarrarle la mano y a mirarla fijamente a los ojos.

Obviamente, debían de estar recordando algo muy tórrido porque se habían olvidado de la presencia de Sam, que se vio obligada a carraspear para recordársela.

El hechizo se rompió y la pareja se separó.

–Perdón –sonrió Brad–. Ya sabes cómo es el amor.

Sam forzó una sonrisa, pero sintió que estaba a la defensiva. Pues claro que sabía lo que era el amor. Había salido con muchos chicos en el colegio y en la universidad. Había salido con chicos en Chicago, en Nueva York, en Londres, en París y en Roma, pero tenía la impresión de que ninguno la había mirado como Brad acababa de mirar a Heather.

–¿Nos vamos? –sugirió.

Brad le abrió la puerta del copiloto.

–No te importa que vaya yo delante, ¿verdad? –dijo Heather–. Es que detrás me hago daño en las piernas.

Sam vio que Brad miraba inmediatamente las larguísimas piernas de su prometida.

–Claro que no –contestó sintiéndose como una niña pequeña.

CAPÍTULO 3

SAMANTHA estaba sentada en el restaurante del oeste de Los Ángeles observando a la pareja que se reía enfrente de ella. Parecían exultantes de felicidad.

De hecho, Brad tenía un brillo en los ojos que jamás le había visto y Heather estaba radiante. Sam nunca había visto a una mujer más radiante que ella.

Sam miró la carta e intentó controlar el sentimiento de antipatía que le producía aquella chica. Hasta el momento, no había visto nada en aquella rubia que justificara que Brad se hubiera enamorado de ella.

Aparte de su preciosa cara y su estupenda figura, claro, pero Heather tenía que tener algo más porque Brad no era de esos hombres que solo buscaran una fachada bonita.

Sam miró a su amigo, que estaba llamando al camarero. Al escucharlo pedir la cena, tuvo la sensación de que había cambiado mucho y no solo por fuera.

–¿Qué te ha pasado, Brad? –le preguntó con curiosidad cuando el camarero se hubo ido–. Antes, pedías carne con patatas y ahora gambas en salsa picante. Ahora pareces un modelo de portada de revista. Llevas un traje de Armani, ¿no?

–Lo que me ha pasado ha sido Heather –contestó Brad sonriendo a su novia–. Me ha convencido para que pruebe comida nueva, para que me corte el pelo, me ponga lentes de contacto y me compre ropa nueva. He mejorado, ¿no crees, Sammy?

–A mí me parecía que antes estabas bien –contestó Sam pensando que le resultaba casi un desconocido.

–La apariencia es extremadamente importante –intervino Heather–. Hay mujeres, sobre todo las mayores, que no se preocupan y así les va. Yo pongo mucho cuidado en mi ropa y mi maquillaje y, por supuesto, vigilo mi peso hasta la última caloría. Merece la pena, ¿no crees, Brad?

El aludido paseó su mirada por el impresionante cuerpo de su prometida.

–Ya lo creo, cariño.

Heather sonrió encantada.

Sam sintió inmensos deseos de tirarle por la cabeza una tarta de fresa que llevaba el camarero que pasaba en aquellos momentos por su mesa, pero se dijo que Heather no había querido decir que ella fuera mayor y gorda.

–¿Y cómo os habéis conocido? –preguntó forzando una sonrisa.

–En la Maratón de RiversWare –contestó Brad–. A Heather le encanta correr y se apunta a todas las carreras que puede.

–¿Tú corres, Samantha? –le preguntó Heather.

—Si lo puedo evitar, no —contestó Sam intentando recordar cuándo había tenido lugar aquella carrera.

Hacía cuatro meses, sí. No era mucho.

—Correr no es para todo el mundo, claro —apuntó Heather—. A mí, además, me gusta probar cosas nuevas de vez en cuando, como patinar en línea. He empezado hace solo unas semanas, pero Brad dice que se me da fenomenal.

—Se le da de maravilla —le aseguró Brad—. Nunca había visto a nadie sobre unos patines con tanta gracia como ella.

Heather sonrió modestamente.

—Patinar en línea es muy fácil —contestó—. Hasta la persona más torpe podría hacerlo.

—Sam, no —anunció Brad encantado.

Sam clavó las uñas en la servilleta.

—¿No? —exclamó Heather horrorizada.

No, no sabía patinar, pero hubo algo que le impulsó a mentir.

—Sí, claro que sí —contestó—. Ah, ahí llega la cena —añadió aliviada al ver al camarero.

—¿Desde cuándo sabes patinar? —insistió Brad—. Porque recuerdo aquella vez que te llevé y casi te partes la nariz.

—Eso fue hace mucho tiempo. He mejorado —mintió Sam—. Por desgracia, no puedo ir a patinar muy a menudo —añadió cortando un trozo de pollo y mojándolo en la salsa de mango—. La tienda de Jeanette me quita mucho tiempo.

—Yo también trabajo, pero siempre saco tiempo para hacer ejercicio —apuntó Heather.

–En la profesión de Heather, es muy importante estar bien –le aclaró Brad–. Es actriz.

–En realidad, solo he aparecido en una película para la televisión llamada *Los vigilantes de la playa. Reunión en California*.

–¿De verdad?

Sam no la había visto, pero sabía de lo que trataba.

–Debió de ser divertido –añadió.

–Sí, lo cierto es que sí. David Hasselhoff en persona me rescató cuando un enorme tiburón blanco atacaba a los nadadores en mitad de un maremoto producido por un instructor de yoga loco que acababa de volar el muelle. No tenía que decir nada, solo gritar muy fuerte. Jim, el director, está editando las escenas finales en estos momentos y me ha dicho que tengo que ir. Por eso estoy en el hotel de enfrente, porque está cerca del lugar de rodaje.

–¿No vives con Brad?

–Mi casa no le va bien –contestó el aludido.

Sam saboreó el risotto con piñones y pimientos verdes y se sintió sorprendido a la vez que extrañamente aliviada.

Pensar en Brad viviendo con Heather era horrible. Pensar en Brad acostándose con ella era…

El arroz se le hizo una bola en el estómago.

–¿Y cuándo la van a poner el televisión? –le preguntó a Heather intentando resultar simpática.

–Dentro de unos meses. Mi agente me ha dicho que, en cuanto eso suceda, me van a llover las ofertas. Claro que no podré aceptar ninguna.

–¿Y eso? –preguntó Sam.

–Porque me voy a casar con Brad. Solo quiero ser su esposa, amarlo y apoyarlo en todo. Y, si Dios quiere, le daré hijos, el fruto de nuestro amor eterno.

Sam sonrió creyendo que la rubia estaba de broma, pero dejó de hacerlo cuando vio que Brad no se estaba riendo sino mirando a su prometido con cara de carnero degollado.

–Brad me ha dicho que quieres que te diseñe yo el vestido de novia –dijo para romper el hechizo.

–Oh, sí –contestó Heather–. Significaría mucho para nosotros. ¿Podrás hacerlo?

–Por supuesto –contestó Sam automáticamente–. Ven mañana a la tienda de mi hermana y veremos juntas los catálogos.

–Bueno… espero que no te importe… pero lo cierto es que quiero algo único, algo especial a tono con mi personalidad.

«Algo con muchos lazos y encajes. Incluso con un chupachups bordado», pensó Sam malévolamente sin poder evitarlo.

–Uy, tengo que llamar a mi agente a ver si por fin tengo que hacer de amante esposa en un anuncio –dijo Heather–. Ahora vuelvo, cariño.

Se levantó y fue hacia el vestíbulo del restaurante.

Sam la observó alejarse preguntándose cómo podía andar moviendo tanto las caderas.

Miró a Brad para ver su reacción y, para su sorpresa, no estaba fijándose en las caderas de su prometida sino que la estaba mirando fijamente a ella.

–¿Qué te parece? –le preguntó.

–Es… –Sam se interrumpió pues todos los calificativos que le acudían a la mente eran negativos–. Perfecta –mintió–. Seguro que vais a ser muy felices.

Brad se echó hacia atrás en la silla y permaneció callado un momento.

–Es increíble, ¿verdad? –dijo por fin–. No me puedo creer que me haya dicho que se quiere casar conmigo –suspiró dándole vueltas al café–. ¿Y tú? ¿Estás saliendo con alguien?

–No, ahora no –contestó Sam–. Estoy muy ocupada con la tienda.

–Ah, sí, la tienda. ¿Te vas a quedar permanentemente?

–No, no creo. Me parece que, de hecho, voy a empezar a buscar otro trabajo en breve.

–¿Sigues sin saber qué quieres hacer con tu vida?

Samantha se puso a juguetear con el arroz.

–Sí, la verdad es que nunca lo he sabido y sigo sin saberlo. No como tú, ¿verdad? Tú siempre has sabido lo que querías.

–Sí, así es.

–Has conseguido llegar muy alto.

Brad se encogió de hombros.

–Cuestión de estar en el lugar apropiado en el momento justo.

–Eres demasiado modesto.

–Eso dice Heather –sonrió Brad–. Es una mujer extraordinaria. Soy el hombre más afortunado del mundo, la verdad.

–A mí me parece que la afortunada es ella.

–¿De verdad? –preguntó Brad echándose hacia delante y mirándola intensamente.

–Por supuesto. Eres mi amigo.

–Tu mejor amigo, ¿no? –sonrió tendiéndole la mano.

Sam asintió y la aceptó.

Se quedaron unos segundos así, ambos sonrientes. La mano de Brad era mucho más grande y fuerte que la suya. De repente, sin razón, Sam sintió enormes deseos de llorar.

–¿Estás bien? –le preguntó Brad apretándole la mano.

–Sí, sí –contestó controlándose y sonriendo.

Brad le miró la boca.

–Espero que no te enfades por lo que te voy a decir, pero tienes un trozo de pimiento entre los dientes.

Sam dejó de sonreír al instante e intentó quitárselo con la lengua mientras se preguntaba cuánto tiempo llevaría así.

«Por favor, que Heather no lo haya visto», rogó.

–¿Ya? –preguntó mostrándole los dientes a Brad.

–No. Lo tienes muy metido.

–Perdóname un momento –dijo Sam dejando la servilleta sobre la mesa y levantándose.

Entró en el baño y se miró en el espejo, pero no vio ni rastro del pimiento. Debía de haber conseguido quitárselo por el camino.

Aliviada, se lavó las manos e intentó conciliar sus emociones. Desde que Brad le había dicho que se iba a casar se sentía algo nerviosa. Quizás porque siempre había pensado que era suyo. Su clavo ardiendo, su ancla, su amigo.

Creía que eso jamás cambiaría. Sin embargo, sabía que si se casaba con Heather iba a cambiar absolutamente todo. Nada volvería a ser igual.

Se volvió a lavar las manos intentando no llorar.

Estaba siendo realmente egoísta. Brad y ella iban a seguir siendo amigos y se alegraba por él. Sí, se alegraba por él.

Se sintió un poco más tranquila y se secó las manos mientras repetía en voz baja «Me alegro por ellos, me alegro por ellos».

Olió humo y arrugó la nariz. Alguien debía de estar fumando en el baño y aquello estaba prohibido.

—Me alegro por ellos —continuó murmurando.

Oyó una cisterna y cuál sería su sorpresa al ver que era Heather la que estaba fumando.

—Ah, eres tú —dijo la rubia—. Creí que me habían pillado —añadió abriendo el bolso de noche y sacando el paquete de tabaco—. ¿Quieres?

—No, gracias —contestó Sam—. Brad debe de haber cambiado mucho porque odia el tabaco… —comentó.

—No lo sabe y tú no se lo vas a decir, ¿verdad?

Con un cigarrillo en la mano, Heather no parecía tan joven y angelical como antes.

–¿No lo sabe? –dijo Sam sorprendida.

–Por supuesto que no. Es tan sano y natural que si se enterara sería capaz de romper el compromiso. No se lo vas a decir, ¿verdad? –insistió.

–¿Pero y no se da cuenta de que te huele el aliento?

–Ya tengo cuidado, no te preocupes por eso.

–No me preocupa… Quiero decir, Brad te quiere y no creo que le importe que fumes –sonrió–. Aunque supongo que te pedirá que lo dejes cuando tengáis niños…

–¡Niños, ja! Odio los niños. No estoy dispuesta a tenerlos. Me arruinarían el cuerpo y la carrera.

–Pero… creí que habías dicho que ibas a dejar de trabajar.

–Tuve que decirle eso a Brad para que me pidiera que me casara con él. Quiere una mujercita que lo adore, pero yo tengo mis planes y ningún hombre va a interferir en ellos.

–¿Entonces por qué te casas con él?

Heather la miró como si fuera idiota.

–Obviamente, porque es guapísimo, heterosexual y rico. Con cien millones de dólares, me puede financiar una película para mí sola. Así, no tendré que hacer esa porquería de anuncios.

Sam no podía dejar de mirarla.

–Solo tendrá cincuenta cuando le dé la mitad a sus empleados –acertó a decir.

–¿Y te crees que le voy a dejar que lo haga?

Pero qué ingenua eres. ¿De verdad te has creído mi actuación de la cena? Creí que otra mujer se daría cuenta al instante de que todo era mentira. ¿Y qué vas a hacer? ¿Se lo vas a contar todo a Brad?

–Es mi amigo.

Heather se rio con una risa fuerte y fea.

–No me digas que sois de esos de uno para todos y todos para uno. No sé en qué siglo has nacido, hija. Dile lo que quieras, pero no te va a creer. Está tan enamorado de mí que jamás creerá a otra persona.

–¿Eso crees?

–Lo sé, guapa –contestó Heather apagando la colilla en el suelo–. No me causes problemas o te arrepentirás.

Heather se echó varias veces un spray de menta en la boca y salió del baño. Sam se quedó mirando la colilla.

Se sentía como en una telenovela.

Como anestesiada, volvió a la mesa y aguantó media hora más viendo a Heather sonreír y apretarse contra Brad como si pensara que era el hombre más maravilloso del mundo. Era fácil creer que estaba completamente enamorada de él.

La escena del baño cada vez le parecía más lejana y surrealista. ¿No lo habría soñado? La rubia la miró de reojo y le dedicó una sonrisa felina.

Sam apretó los labios. ¡No, no lo había soñado! Heather era una mujer egoísta y despiadada. Brad le importaba un pimiento, solo quería su dinero.

Sam miró a su amigo, que estaba embelesado sonriéndole a su prometida. Pobrecillo. ¿Tenía idea de dónde se metía? Obviamente, no. Pobrecillo.

Creía que Heather era perfecta. Se había enamorado de ella. Cuando se enterara de la verdad, se iba a quedar destrozado. No podía soportar imaginárselo sufriendo amargamente.

Recordó cuando Joe Danver la había dejado porque no se quería acostar con él y Brad la había escuchado llorar y despotricar. En realidad, le había dolido más el orgullo que el corazón, pero en cualquier caso lo había pasado mal y él había estado allí para ayudarla.

Siempre había estado allí. Si no hubiera sido por él, jamás habría aprobado el cálculo en el colegio. No se lo daban bien las matemáticas, pero él se las había explicado una y otra vez hasta que había conseguido entenderlas.

También había estado allí cuando sus padres se divorciaron y un año después cuando murió su padre. Había llorado sobre su hombro y Brad la había abrazado con fuerza y le había retirado el pelo de la cara.

Brad era un buen hombre y no se merecía a una arpía como Heather.

En ese momento, se inclinó para decirle algo a su prometida al oído y, como si Heather le hubiera leído el pensamiento a Sam, la miró de reojo de forma burlona.

Sam apretó las mandíbulas hasta que le dolieron.

No podía permitir que Brad arruinara su vida. Era su amigo. Tenía que hacer algo para salvarlo. Brad la necesitaba.

No iba a defraudarlo.

CAPÍTULO 4

SAM decidió que lo mejor era hablar con Brad y contarle lo que Heather le había dicho. La rubia era una engreída. ¿De verdad creía que la iba a creer a ella antes que a su amiga de toda la vida?

Por ello, cuando después de cenar, Brad propuso dejar a Heather en el hotel antes de llevarla a ella a casa, Sam se mostró encantada.

–Date prisa en volver –dijo Heather–. Tengo un regalo para ti, una sorpresita…

La forma en la que la rubia se mojó los labios al decir «sorpresita» hizo que Sam sospechara que no iba a ser nueva.

Probablemente, una vez que le pusiera las manos encima a Brad, su amigo no podría pensar en nada.

Aquello le pareció horrible. Espantoso. Sam no se lo podía quitar de la cabeza. ¿Por qué le molestaba tanto imaginarse a Brad y a Heather en la cama? Al fin y al cabo, era dos adultos que se iban a casar.

¿No había dicho la malvada Heather que encontraba a Brad de lo más atractivo? Qué raro. Sam nunca lo había visto así.

–¿A que Heather es fantástica? –le preguntó Brad rompiendo el silencio–. No me puedo creer que quiera casarse conmigo.

–Yo, sí –apuntó Sam algo sarcástica.

–¿Por qué dices eso, Sammy? Antes me has dicho que era perfecta –dijo Brad mirándola de reojo.

–Nadie es perfecto. Me parece que la palabra que mejor describe a Heather es interesante.

–¿Interesante? –repitió Brad enarcando las cejas–. Venga, dime lo que piensas de verdad.

–Me encontré con ella en el baño y no me pareció tan simpática –confesó Sam.

–¿A qué te refieres?

–No estaba tan dulce.

Brad salió de la autopista y paró el coche.

–Hay una cosa sobre Heather que tienes que entender. Las demás mujeres suelen tomarla con ella porque es muy guapa, pura envidia, pero no te puedes ni imaginar de lo que son capaces. ¡Una incluso intentó convencerme de que solo quería casarse conmigo por mi dinero! Era amiga mía, pero después de aquello no quiero volver a verla.

Sam lo miró fijamente.

–Veo que te has quedado tan sorprendida como yo. Sé que Heather puede parecer un poco desconfiada, pero yo ya le había dicho que tú no eres como las demás, que jamás dirías cosas malas sobre ella a sus espaldas.

–No, no, jamás –consiguió decir Sam.

No se lo podía creer. ¡Heather había conseguido que no pudiera decir nada! Aquella rubia de tonta no tenía nada.

Brad volvió a poner el coche en marcha y Sam decidió que tendría que moverse con cautela.

–¿Te has llegado a plantear si algo de lo que te han contado pudiera ser verdad?

–Por supuesto que no. Heather puede resultar un poco antipática cuando la conoces, pero es porque, en realidad, es muy tímida.

¿Tímida? ¡Por favor! ¿Por qué todos los hombres se volvían ciegos cuando había un buen cuerpo de por medio?

–¿Hace cuánto que la conoces? ¿Cuatro meses?

–Llevamos saliendo casi dos meses.

–¡Dos meses! ¡Pero si eso no es nada!

–Ya sé que no es mucho, pero a mí se me hace como si la conociera de toda la vida.

Sam miró a su amigo y se preguntó si de verdad podía un tipo tan inteligente creerse la estúpida frase que acababa de decir.

Heather lo había pillado y bien. Aquello preocupaba a Sam.

–He visto un artículo sobre ti en el periódico –dijo intentando un enfoque más sutil.

–¿El que me ponía entre lunático y santo? Me parece que compartir los beneficios de la empresa me parece lo más justo, es todo. Todo el mundo ha trabajado mucho y se merecen parte de la recompensa. ¿A ti te parezco un loco?

–En absoluto. A mí me parece que eres muy

generoso –contestó Sam agarrándose al cinturón de seguridad–. ¿Y a Heather qué le parece?

–A Heather le parece bien todo lo que yo haga. Lo único que me ha pedido es que me espere a que estemos casados para hacerlo porque quiere participar en ello.

Sam dio un respingo. ¿Pasaría a ser dueña de la mitad de la fortuna de Brad una vez casados?

–¿Os vais a casar en separación de bienes?

–Claro que no –contestó Brad indignado–. Heather me lo ha propuesto, pero yo le he dicho que no. Confío en ella. Jamás le haría algo así.

Sam se mordió la lengua. Heather había entendido rápidamente cómo era Brad y había sabido aprovecharse de ello.

Tenía razón. No iba a creer nada de lo que le dijera.

Sintió una punzada de dolor en el corazón. Antaño, habría sido al revés. Habría creído cualquier cosa que le hubiera dicho porque confiaba en ella por completo, pero ahora parecía que de la que más se fiaba era de su prometida.

Sam entendía que un hombre debía confiar, por encima de todo el mundo, en su futura esposa, pero no pudo evitar sentir nostalgia del pasado cuando su posición como mejor amiga de Brad había sido incuestionable.

Sentía que le había usurpado el trono.

Al llegar a casa de Sam, Brad aparcó y la acompañó a la puerta.

–Brad… –dijo ella tras rebuscar en el bolso en busca de las llaves.

–¿Sí?

–Heather es…

–¿Sí?

–Muy atractiva y… espero que no hayas confundido el amor con el sexo.

–Ah, pero, ¿hay alguna diferencia?

–¡Pues claro que sí! El sexo es temporal, pero el amor es para siempre.

–¿Lo sabes por tu amplia experiencia?

–Sí… no… esto no tiene nada que ver conmigo.

–¿Cómo que no? Tengo que saber la validez de tus consejos. ¿Me estás diciendo que el payaso ese con el que te presentaste las navidades pasadas era un amante estupendo, pero no apto como marido?

–¡Claro que no! Jean Paul y yo nunca…

–¿Nunca qué? ¿Nunca os acostasteis? Ya lo sabía.

–¿Cómo que ya lo sabías? –preguntó Sam irritada–. No sabes nada de mi relación con Jean Paul.

–Te conozco y sé que te da miedo el sexo.

–¿Cómo? ¡Pero qué dices! ¡El sexo no me da miedo!

–¿Ah, no? Me apostaría RiversWare, mi casa e incluso mi coche a que sigues siendo virgen.

Sam se sonrojó de pies a cabeza.

–¡No sé cómo nos hemos desviado tanto del tema!

–Me estabas dando un sermón sobre que no tenía que confundir el sexo con el amor en lo

que respecta a Heather –sonrió Brad muy satis-
fecho–. No te preocupes. Heather y yo no nos
hemos acostado todavía. Quiere que esperemos
a la noche de bodas.

–¿Y tú has estado de acuerdo? –exclamó Sam
sorprendida.

Brad asintió.

–Estoy dispuesto a esperar para tener a la mujer a la que deseo.

–No quiero decir nada malo sobre Heather,
pero no me parece suficientemente buena para ti.

–¿Y quién te parece suficientemente buena
para mí? –preguntó Brad acercándose peligrosa-
mente a ella.

–No lo sé –contestó Sam percibiendo su colonia–. Alguien como… como… Blanche Milken.

–¿Te parece que estaría mejor con Blanche
Milken que con Heather? –dijo entrecerrando los
ojos–. ¿Me estás diciendo que no soy hombre
suficiente para Heather?

–Claro que no…

–Sam, métete en casa. Ahora mismo.

Hubo algo en su tono de voz que le hizo obe-
decer. Una vez dentro, apartó la cortina y lo observó ir hacia el coche, montarse, ponerlo en
marcha y alejarse.

Bajó la cortina y frunció el ceño. ¿Qué le pasaba? ¿Se había enfadado? Imposible. Brad
nunca se enfadaba. Pero llevaba haciendo y diciendo cosas raras toda la noche, vestido de
traje, poniéndole ojitos a Heather y diciéndole a
ella que el sexo le daba miedo…

¡Que el sexo le daba miedo! Qué cosa tan ridícula. Era cierto que no se había acostado con ninguno de los chicos… hombres… con los que había salido, pero no había sido por miedo sino porque no estaba lista para atarse a nadie. Sabía que se empezaba en la cama y se acababa en el altar y en casa cambiando pañales.

Era inteligente, no era que tuviera miedo.

Se sentó en la mesa del salón y tomó un lápiz. ¿No estaría bromeando? Brad siempre había tenido sentido del humor, siempre la había hecho reír. Pero aquello no era para reírse. Tenía que salvar a su mejor amigo y no iba a ser fácil.

Era más impredecible ahora, probablemente porque estaba enamorado. ¡Enamorado de una mujer para la que el amor no importaba!

Lápiz en mano, se puso a dibujar posibles vestidos de novia para Heather. El primero que le salió parecía de una cabaretera y el segundo se iba acercando más al de una prostituta, pero a Sam no le parecía suficiente.

Siguió y siguió hasta que le dolió la mano. Al final, se fue a la cama, pero tuvo una pesadilla horrible en la que una gaviota ataviada con un vestido color bronce se posaba en el hombro de Brad y le picoteaba la perilla y las gafas de sol mientras otra, con vestido de punto negro, gritaba histérica «¡Esas gafas se las regalé yo!»

A la mañana siguiente, llegó tarde a trabajar y se encontró con otra pesadilla. Allí estaba Heather,

vestida con un imposible vestido amarillo tan ce-
ñido que se le marcaba el ombligo y unas sandalias de tacón azul turquesa a juego con el bolso.

Al lado de Jeanette, con su obsoleto traje de
chaqueta color lavanda, y de Kristin, la hermana
de dieciséis años de Sam, con sus vaqueros y su
camiseta, parecía una mariposa exótica.

Heather estaba allí como una reina. Jeanette le
estaba enseñando objetos de decoración y hablándole de menús mientras Lin y Shin Ling, las
sastras que su hermana tenía contratadas media
jornada, le enseñaban vestidos y Kristin tomaba
notas de lo que la propia Heather le dictaba.

Y apoyado en la pared con una taza de café
estaba Brad con cara de estárselo pasando en
grande entre tanto caos.

Como si hubiera sentido su presencia, levantó
la vista y sus ojos se encontraron.

«Me apostaría RiversWare, mi casa e incluso
mi coche a que sigues siendo virgen».

Confundida, apartó la mirada y se encontró
con la de Heather.

–¡Ah, estás aquí, Samantha! –saludó la rubia–. ¡Qué suerte tienes de poder dormir tanto!
Supongo que, al ser la hermana de la dueña, tendrás ciertos privilegios, claro. Qué envidia. Yo,
por mi profesión de actriz, me tengo que levan-
tar al amanecer. La gente no se da cuenta de lo
difícil que es ganarse la vida en Hollywood.
Cuando rodé *Los vigilantes* tenía que estar en
maquillaje a las seis de la mañana para que me
pusieran la loción bronceadora instantánea. La

sigo utilizando, la verdad, para tener siempre buen color.

Sam vio cómo Brad deslizaba la mirada por los hombros desnudos de su prometida. El bronceado parecía completamente natural.

Sam, que había trabajado muchos días doce horas y que lo único que había conseguido aplicándose una loción similar había sido que se le notaran todavía más las pecas, apretó los dientes y fue hacia la cafetera.

A Heather ni le importó que no le contestara. Ella siguió hablando.

—Le he dicho a Brad: «Lo primero que tenemos que hacer hoy por la mañana es ir a la tienda de Sam para preparar la boda cuanto antes».

—Muy bien hecho —apuntó Jeanette—. Solo tenemos tres semanas y no hay tiempo que perder.

—¡Tres semanas! —exclamó Sam sirviéndose tres cucharadas de azúcar decidida a que aquella boda no se celebrara—. Me temo que Jeanette tiene mucho trabajo y no va a poder preparar una boda en tres semanas. Necesitaríamos, por lo menos, un año. No es cierto, ¿Jeanette? —añadió Sam levantando las cejas para que Jeanette entendiera.

Jeanette la miró sorprendida, pero no le dio tiempo a contestar.

—¿Pero qué dices, Sam? —intervino Kristin—. Por supuesto que podemos hacernos cargo de la boda de Brad y de Heather. Este mes es tranquilo.

Sam miró a su hermana pequeña. ¿Por qué demonios había accedido Jeanette a que trabajara allí? Kristin hablaba siempre sin pensar y, normalmente, decía justo lo contrario de lo que debería decir.

Además, llevaba los ojos demasiados maquillados.

–¿Podrías hacernos un hueco? –le preguntó Brad a Jeanette.

Jeanette dudó.

–Va a ser difícil porque tenemos mucho trabajo –contestó mirando a Sam.

–En tres semanas, me es completamente imposible hacerte un vestido –añadió esta.

«Ni en tres semanas ni en tres años», pensó.

Brad miró a Heather.

–Me lo temía, cariño. Sé la ilusión que te hace una boda de verdad, pero ya ves que no va a poder ser. Vamos a tener que casarnos en Las Vegas como habíamos dicho en un principio. ¿Qué te parece esta noche?

Heather asintió.

–Ya te dije que no me importa casarme en Las Vegas, mi amor. Además, no quiero esperar tres semanas más para ser tu esposa.

Sam se quemó la lengua con el café.

¿Se iban a casar aquella noche? No podía permitirlo. Necesitaba tiempo para que Brad comprendiera el error que iba a cometer.

–La verdad es que… Jeanette, ¿no canceló ayer alguien? –se apresuró a decir–. Tal vez, podamos haceros un hueco.

–Yo creo que sí –contestó su hermana.

–¿Y el vestido? –preguntó Brad.

–Yo lo diseñaré y Lin y Shin se encargarán de coserlo –contestó Sam.

–¿Y la iglesia? –preguntó Kristin–. Os va a resultar un poco difícil encontrar una con tan poco tiempo.

–Ya encontraremos algo –contestó Sam preguntándose por qué sus padres tuvieron a Kristin–. Hay mucho hoteles y parques donde casarse.

–¿Cuántos invitados tenéis? –le preguntó Jeanette a Heather.

Por primera vez, Sam vio dudar a la rubia.

–Va a ser una boda pequeña –contestó Brad–. Unas diez personas.

–¿Queréis que preparemos una boda entera para solo diez personas? –preguntó Sam.

–No, claro que no. Diez personas en la ceremonia y unas cien en el convite –le aclaró Brad.

–Me tendrás que dar los nombres y direcciones para que les mande la invitación –apuntó Kristin.

–Y tenéis que decirles a las damas de honor y a los testigos del novio que se pasen por aquí para tomarles medidas para los trajes. ¿Va a ser George el padrino?

–Eh, no –contestó Brad–. Estaba pensando en Fred. Fred. Calhoun.

–¿No se lo vas a pedir a George Yorita? Pero si sois amigos de toda la vida. ¿No fuiste tú, de hecho, su padrino de boda?

–Sí, pero nos hemos distanciado un poco.

–¿No seguís siendo socios?

–Vamos a dejar el tema, ¿de acuerdo? –dijo Brad.

–Muy bien –murmuró Sam.

–Perdón –se disculpó Brad–. Estoy un poco nervioso.

–No te preocupes, las bodas son muy estresantes.

¡Y tanto! Ella tenía ya un estrés que no podía más. Tenía que parar aquello y no sabía cómo. Había intentado hablar con él y no había dado resultado, había intentado retrasar la boda y tampoco había podido ser.

Necesitaba un plan, pero, ¿cuál?

Brad se sentó junto a Heather y agarraditos de la mano escucharon las explicaciones de Jeanette. Sam no podía soportar verlos así. ¿Por qué la agarraba Brad de la mano así a Heather? Nunca había sido tan afectuoso en público.

Y cómo la miraba… era nauseabundo.

En ese momento, sonó el teléfono y la sacó de sus pensamientos.

Kristin contestó y escuchó atenta.

–Muy bien, gracias –respondió colgando–. Era del almacén. El pedido ya está.

–Necesito esas telas aquí cuanto antes –apuntó Jeanette.

–Ya voy yo a recogerlas –se ofreció Sam–. Si Brad viene conmigo, claro –añadió impulsivamente–. Es que pesan mucho, ¿sabes?

–Te acompaño encantado –contestó el aludido

soltándose de la mano de su prometida con ex-presión extrañamente aliviada–. Además, quería hablar contigo de un par de cosas.

Samantha vio la cara de fastidio de Heather. ¡Ajá! Era la misma que había visto en muchas novias cuando los novios se escabullían para no tragarse los preparativos de la boda.

Sam sabía reconocer y aprovechar una buena oportunidad.

–Gracias, Brad –sonrió encantada.

–¿Pero y el vestido de Heather? –preguntó Kristin–. ¿No deberías ponerte a diseñarlo cuanto antes?

–Ya tengo hechos algunos bocetos –contestó Sam estrangulando a su hermana con la mirada.

–¿Y dónde están?

–Los tengo en el bolso.

–Me gustaría verlos –intervino Brad.

–A mí, también –apuntó Heather.

Sam tragó saliva y los sacó del bolso. ¿Habría alguno un poco aceptable?

Brad se los arrebató de las manos y los puso encima de la mesa. Todos los miraron y nadie dijo nada durante unos segundos.

–Este es interesante –apuntó Brad señalando uno que era un mono de cuero blanco con collar de pinchos y tacones de aguja.

–Oh –intentó disimular Sam–. Estos no son los que tenía hechos para Heather. Me los he de-bido de dejar en casa.

–Este me encanta –dijo en ese momento Heather.

Se trataba de una malla blanca con faldita de tul. Parecía una bailarina y, decididamente, era el más decente de todos.

—Es perfecto —sentenció la rubia.

—Estupendo —contestó Sam guardando los bocetos—. Ahora que ya hemos arreglado esto, ¿nos vamos? —añadió mirando a Brad.

—¿No te tendrías que quedar a ayudar a Heather con los preparativos? —preguntó Kristin.

—A Heather se le da fenomenal tomar decisiones por sí sola —contestó Brad—. Prefiere elegir ella sola, ¿verdad, cariño?

La aludida dudó un segundo, pero sonrió encantadora.

—Por supuesto, cariño —dijo—. Tú vete tranquilo que yo me lo voy a pasar en grande con los preparativos de nuestra boda.

—Gracias, mi amor —sonrió Brad.

Mientras iban hacia el coche, Sam se preguntó si Brad se habría dado cuenta de que a Heather no le había hecho ninguna gracia que la hubiera dejado allí. Obviamente, cuanto más tiempo tardara Brad en volver más enfadada iba a encontrar a su prometida y decidió retenerlo en el almacén todo lo que pudiera.

—Qué encantadora Heather dejándote venir conmigo —comentó.

—Es que Heather es un encanto —contestó Brad—. Nunca se queja por nada.

—¿Por nada de nada? —exclamó Sam con las cejas enarcadas—. ¿Por qué no pides que la santifiquen en lugar de casarte con ella?

Aquello hizo reír a Brad.

—Tiene muy buen carácter y es muy buena.

—Claro —murmuró Sam con sarcasmo.

—Eso fue lo primero que me atrajo de ella. Su dulzura.

«Es tan dulce como la leche cortada», pensó Sam parándose ante el coche de Brad.

—Es buena...

«Como un buen puñetazo en el estómago».

—Generosa...

«Como el tío Gilito».

—Y va a ser la esposa y la madre perfecta.

«Tan perfecta como la bruja de Hansel y Gretel».

Sam se preguntó cómo estaría de encantadora Heather cuando llevara horas y horas hablando de los miles de detalles que surgían cuando se preparaba una boda.

Tenía que conseguir que se enfadara de verdad.

—Parece nacida para vivir en un barrio residencial y llevar a los niños a jugar al fútbol los domingos —contestó—. Mejor vamos en mi furgoneta —añadió—. Hay que traer cosas.

—Conduzco yo —dijo Brad.

—¿Por qué?

—Porque me he acostumbrado. Heather no conduce. Es de Ohio y le dan miedo las autopistas.

«¿Es que esta mujer no sabe hacer nada de provecho?», se preguntó Sam.

—Qué incordio, ¿no? —comentó.

–No, a mí no me importa.

–Pero eso la hace depender de ti para todo –apuntó Sam–. Voy a conducir yo. Soy de aquí y no me dan miedo las autopistas.

–Lo sé, pero conduces muy mal.

–¿Cómo? –exclamó Sam indignada.

Brad le quitó las llaves de la furgoneta y le abrió la puerta del copiloto educadamente.

–¡Pero si no me han puesto una multa en la vida! –protestó.

–Porque ningún policía se ha podido resistir a tus preciosos ojos verdes –contestó Brad.

Sam no dijo nada más.

–¿Estás enfadada conmigo? –le preguntó Brad al salir a la autopista.

Sam dejó la taza de café en el salpicadero y permaneció en silencio.

–Venga, Sam. Sabes que es verdad.

–¡No, no lo es! No me puedo creer que hayas sido tan grosero.

–Me parece que ahí radica el problema –sonrió Brad–. Siempre he sido demasiado educado contigo y eso solo ha servido para que no te dieras cuenta de la verdad.

¿La verdad? Sam lo miró de reojo. ¿De qué estaba hablando?

–Ser educado nunca está de más –contestó.

Brad sonrió enigmático y no dijo nada.

–Además, no sé cómo puedes decir que conduzco fatal cuando me enseñaste tú –añadió Sam.

–Uno de los fracasos más sonados de mi vida –rio Brad.

–¿De qué me querías hablar? –preguntó Sam subiendo la ventana para que no entrara ruido.

–Tu madre me llamó anoche.

–Ah –dijo Sam clavando las uñas en el asiento. Su madre tenía buenas intenciones, pero…

–¿Y qué quería?

–Parece ser que se ha enterado de que me voy a casar y quería que supiera que me sigue considerando parte de la familia y que Heather y yo siempre seremos bien recibidos en su casa.

Brad siempre había pasado las fiestas en su casa, pero, ¿Brad y Heather? Sam se estremeció al imaginarse las navidades con ellos.

¿En qué estaría pensando su madre?

–¿Piensas tomártelo al pie de la letra? –preguntó.

–No sé, solo si a ti te parece bien.

Sam tomó la taza de café intentando pensar en una razón para decir que no. No quería pasar las navidades con aquella víbora bajo ningún concepto, pero, ¿podría prescindir de ver a Brad? Recordó cómo había resultado el día de Pascua sin él… vacío y aburrido.

–Claro que me parece bien –dijo por fin.

Brad suspiró aliviado.

–Trato hecho, entonces. Espero que Heather y tú os hagáis amigas. Le caes muy bien ¿sabes? De hecho, quiere que seas su dama de honor.

Ante aquello, a Sam se le cayó el café por encima.

–¡Ay!

–¿Estás bien?

–Sí, sí –contestó abriendo la guantera y limpiándose con unos pañuelos de papel.

–¿Quieres ser su dama de honor?

–Eh… –bajó la ventana para aspirar un poco de humo de tubo de escape e intentar pensar en una excusa para decir que no–. ¿No tiene amigas o hermanas o algo?

–No. Ya te he dicho que las mujeres que ha conocido no se han portado muy bien con ella. No conoce a mucha gente. Es hija única y sus padres han muerto los dos.

Sam se mordió el labio. Aunque Heather le caía fatal, sintió pena por ella. Sam había perdido a su padre y sabía lo duro que era.

–Venga, Sam. ¿No dices que eres mi mejor amiga? Necesito que ayudes a Heather.

Sam no quería ayudar a Heather, pero tampoco quería defraudar a Brad.

–Si estás seguro de que Heather lo quiere así…

–Estoy seguro –sonrió Brad.

Sam se alegró cuando una hora después llegaron al almacén. El lugar estaba lleno de telas, estanterías y estanterías abarrotadas de cachemires, tafetanes, lanas…

Fue de mesa en mesa. Se le habían olvidado los problemas. Mientras un empleado buscaba el pedido de Jeanette, ella se zambulló en un mundo de telas.

De repente, se dio cuenta de que Brad la estaba mirando con cara rara.

–¿Qué pasa? –le preguntó.

–Nada –contestó él–. Me estaba acordando de cuando fuimos al baile de homecoming.

Sam también se acordaba. Era su último año de colegio y acababa de romper con Sean Chang. Como quería ir a la fiesta como fuera, le había pedido a Brad que la acompañara.

–¿Y?

–Y recuerdo que te tocaba salir de trabajar muy tarde, así que pasé a buscarte a la tienda de telas, pero te habías dejado el vestido en casa así que te pusiste una seda dorada por encima y te la ataste.

–Sí, me acuerdo –sonrió Sam–. Y la tela se te enganchaba todo el rato en la hebilla del cinturón mientras bailábamos.

Le había pedido perdón mil veces, pero a Brad había parecido no importarle demasiado.

–Me parece increíble que te acuerdes.

–Claro que me acuerdo –le aseguró Brad–. ¿Cómo no me iba a acordar si me pasé toda la noche preguntándome qué pasaría si te hubiera deshecho el nudo que te habías hecho sobre el pecho?

–Que te habría matado, eso es lo que hubiera pasado –rio Sam–. Aquel nudo era el vestido entero. Si me lo hubieras deshecho, me habría quedado en ropa interior.

–Hmm –dijo Brad.

Sam lo miró y vio que estaba acariciando un rollo de seda.

Inmediatamente, recordó cómo habían bailado, cómo Brad le había puesto la mano en la espalda desnuda. Le había gustado aquella sensación.

Sonrojada, apartó la mirada.

–He terminado –dijo de forma atropellada avergonzada de los derroteros que habían cobrado sus pensamientos.

«Fue inocente», se dijo.

–Vamos.

El empleado los ayudó a cargar la furgoneta y en media hora estaban de vuelta. Durante el trayecto, Brad permaneció en silencio y Sam estaba demasiada ocupada con su mente como para darle conversación.

No podía dejar de pensar en lo que había dicho de deshacerle el nudo del vestido. Aquella noche Sam había bailado con muchos chicos y le pareció que a Brad no le había gustado mucho que lo hiciera.

De vuelta a casa, no había dicho nada. Aquella noche había sido peculiar, tan peculiar como su comentario sobre el dichoso nudo. ¿Habían tenido sus palabras cierta connotación sexual o habían sido imaginaciones de Sam?

Debían de haber sido imaginaciones suyas. Conocía a Brad y sabía que jamás pensaría en tener nada erótico con ella. Entonces, no, pero, ¿y ahora?

Lo miró de reojo.

Tenía la nariz recta, los labios firmes, un buen mentón, el cuello fuerte y los brazos musculosos. Se fijó en sus manos, apoyadas en el volante con naturalidad y decisión. Eran las manos de un hombre que sabía lo que hacía…

Sam apartó la mirada y se puso a mirar por la ventana. Brad estaba prometido y, obviamente, con la única con la que tenía pensamientos eróticos era con Heather.

–¿Qué tal estará Heather? –preguntó Sam mientras aparcaban junto a la tienda de su hermana–. No sé si se habrá enfadado un poco porque la hayas dejado aquí sola.

«O un mucho, con un poco de suerte», pensó Sam.

–Seguro que está bien –contestó Brad mientras cruzaban la calle–. Además, tenía a Jeanette y a Kristin para ayudarla.

«Si no la han matado ya».

A Jeanette se le daban bien las clientas difíciles, pero su paciencia tenía un límite y Kristin tenía la sana costumbre de decir siempre lo que pensaba.

Sam pensó que la tensión entre las tres iba a ser insoportable y que Brad se daría cuenta. Si no era así, con un poco de suerte, Kristin se lo haría ver.

Incluso, con un poco más de suerte, podía ser que se estuvieran peleando. Así, Brad podría ver a Heather en vivo y en directo, comprobar cómo era en realidad.

Al llegar a la puerta, se quedó escuchando esperando oír gritos y berridos.

–¿Qué haces? –le preguntó Brad.

–¿Eh? Nada –contestó abriendo.

Las tres mujeres estaban sentadas en el sofá muy sonrientes.

–¡Brad! –exclamó Heather levantándose y corriendo hacia él para abrazarlo–. ¡Te he echado de menos!

–Yo, también, cariño –contestó Brad.

–Solo han sido unas horas –intervino Sam.

–Sí, pero a mí me ha parecido una eternidad –dijo la rubia sonriendo a su prometido–. Hemos mandado quinientas invitaciones.

–¡Quinientas! –exclamó Brad–. ¿Conocemos a tanta gente?

–Bueno, he invitado a toda la plantilla de tu empresa.

A Brad se le puso cara de haberse comido un limón.

–¿Has invitado a todos los de RiversWare?

–Por supuesto. Llamé a tu secretaria, le expliqué lo que sucedía y ella nos mandó por fax todos los datos. Como Kristin es un as con el ordenador, ha hecho las invitaciones y los sobres en muy poco tiempo y ya están enviadas.

–¿Y están enviadas? Me habría gustado echar un vistazo… por si se te había olvidado alguien…

–El cartero acaba de venir a buscarlas, pero puedes consultar la lista que nos ha mandado tu secretaria.

–Sí…

–¡Ya verás cuando veas el menú, Brad! –exclamó Kristin entusiasmada–. ¡Caviar, trufas y el mejor champán! Además, hemos podido reservar la iglesia que le gustaba a Heather.

–¿Iglesia?

–Sí, la Iglesia de la Paz y la Tranquilidad.

Heather estuvo en una boda allí hace un par de meses y le gustó tanto que se quería casar allí. Hemos llamado y hemos tenido la suerte que habían tenido una cancelación.

–Sabía que querrías lo mejor –sonrió Heather.

Brad se quedó mirando a su prometida y Sam aguantó la respiración. Obviamente, no le había hecho gracia aquel derroche. La boda le iba a costar una fortuna. ¿Se iba a dar cuenta, por fin, de que Heather era una mujer egoísta a la que solo le interesaba su dinero?

–Por supuesto –rio Brad–. Claro que quiero lo mejor. ¿Y el banquete?

–En un hotel junto a la playa –le explicó Heather–. Incluso hemos reservado la suite nupcial para la noche de bodas.

–Excelente –sonrió Brad–. Ahora, vámonos antes de que me arruines. Adiós, chicas –se despidió.

Sam se quedó mirándolos alejarse con el ceño fruncido. Brad era demasiado bueno. Dejaba que Heather hiciera lo que le diera la gana y ella había aprovechado su ausencia para gastar todo lo que había podido. Pobre Brad. ¿Cómo podía estar tan ciego?

Jeanette la estaba mirando con cara de pocos amigos y Kristin, con curiosidad. Sam entendió rápidamente lo que pasaba.

–Perdón por dejaros solas con ella –se disculpó.

–¿De qué me estás hablando? –le espetó Jeanette–. ¿Qué demonios has hecho? ¿Me quieres arruinar o qué? ¿Cómo se te ocurre presentarte con semejantes bocetos? Menos mal que Heather es una mujer encantadora. Yo en su lugar me habría ido inmediatamente.

Sam se quedó con la boca abierta.

–¿No os ha parecido… difícil de tratar?

–En absoluto –contestó Jeanette.

–¿Pero qué dices, Sam? –intervino Kristin–. Además, tiene buenas ideas.

–Ha sido educada y atenta en todo momento. Me cae muy bien. Quiere que Cassie lleve las flores en la iglesia y todo –dijo Jeanette más calmada.

–¿Ah, sí? –dijo Sam sin poder dar crédito a lo que estaba oyendo.

Heather había engañado incluso a sus hermanas. Incluso había descubierto el punto débil de Jeanette, sus hijos.

–Es perfecta para Brad –añadió Kristin.

–¡No lo es! –estalló Sam.

Jeanette y Kristin se quedaron mirándola como si se hubiera vuelto loca.

–Sé que puede ser encantadora. A mí también me engañó al principio, pero en realidad es una persona abominable. Anoche fui a cenar con ellos, coincidimos en el baño y me confesó que no está enamorada de Brad y que se casa con él por su dinero. ¡Me dijo que no va a permitir que Brad dé un centavo a sus empleados, que va a hacer que le financie una película para ella solita, odia a los niños y, encima, fuma! Pobre Brad, no tiene ni idea de cómo es de verdad y

Heather se está aprovechando de lo bueno que es.

Sus hermanas la miraron con escepticismo.

—Muchas amigas mías fuman —dijo Kristin—. Es de tontos hacerlo, pero no quiere decir que sean malas personas.

—¿Crees que se está aprovechando de Brad? Pero si Brad no tiene un pelo de tonto —intervino Jeanette—. Más bien, todo lo contrario.

—Heather es muy hábil —insistió Sam.

—No tanto si te ha dicho lo que te ha dicho —apuntó Kristin—. ¿Por qué iba a hacer algo así?

—No lo sé —admitió Sam—. Supongo que porque la pillé con la guardia bajada. La pillé fumando, así que supongo que debió de pensar que no me iba a poder engañar durante mucho más tiempo. Tal vez, porque es increíblemente arrogante. No lo sé. ¡Lo importante es que Brad no tiene nada que hacer contra ella!

—¿Y por qué iba a querer tener algo en su contra?

—Porque cuando se dé cuenta de cómo es en realidad le va a hacer un infeliz. Lo ha cambiado por completo. Viste de otra manera y come gambas.

—A mí me parece un buen cambio —dijo Jeanette sentándose.

—A mí, también —dijo Kristin—. Brad está más guapo que nunca. En realidad, no me había fijado en lo sexy que es.

—¿Sexy? —repitió Sam anonadada.

—Sí, sexy.

–Muy bien, lo que tú quieras, pero Brad es nuestro amigo y es nuestro deber impedir que se case con Heather.

–No creo que sea asunto nuestro –dijo Jeanette tomando notas en su cuaderno.

–Brad es un hombre hecho y derecho, no creo que tengamos que andarle diciendo lo que tiene que hacer –apuntó Kristin tomando un catálogo de la mesa.

Sam miró perpleja a sus hermanas.

–Es nuestro deber advertirle de cómo es Heather en realidad.

–No creo que te vaya a creer –le advirtió Kristin–. No sé ni siquiera si yo te creo.

–Por Dios, pero, ¿por qué iba a mentir?

Jeanette y Kristin se miraron.

–Sam, no estarás celosa, ¿verdad?

–¡Celosa! –suspiró Sam frustrada–. ¡Por supuesto que no! ¡Solo intento ayudar a Brad!

–Bien, bien, si tú lo dices… Entonces, ¿vas a hablar con él sobre Heather?

–Ya lo he intentado, pero está ciego, así que tengo que encontrar otra forma de romper su compromiso.

–¿Y si le cuentas a Heather algo horrible sobre Brad? Tal vez, así, consigas que sea ella la que no quiera casarse con él –sugirió Kristin.

–¿Como qué?

Sam intentó pensar en algo horrible de Brad, pero no se le ocurrió nada.

–Dile lo egoístas que son los maridos –apuntó Jeanette.

Sam miró a su hermana mayor. Obviamente, las sesiones de ayuda matrimonial no estaban yendo bien.

—Brad no lo es.

—Dile que ronca —propuso Kristin.

—Todos los hombres lo son —contestó Jeanette sin hacer caso de su hermana pequeña—. Son unos vagos que esperan que les hagas la cena, friegues los platos y limpies mientras ellos ven la televisión…

—¿Y qué te parece si le dices que tiene problemas de gases? —continuó Kristin.

—Brad siempre recoge y friega cuando viene a casa —contestó Sam ignorando también a su hermana pequeña.

—Y, luego, después de estar todo el día trabajando y cuidando de tres niños, cuando te quieres meter en la cama porque estás rendida, ¡ellos quieren acostarse contigo!

—¡Lo tengo! ¿Por qué no le dices que Brad es eyaculador precoz?

—¡Kristin! —exclamó Jeanette.

—¿Qué?

—¿Y tú qué sabes de eyaculadores precoces? —preguntó Sam.

Kristin puso los ojos en blanco.

—He leído *Dear Abby*.

—¡Como te oiga mamá hablar así le va a dar un infarto! —le reprochó Jeanette.

—No soy idiota, delante de mamá no hablo de sexo —contestó la adolescente—. Ahora que lo pienso, deja lo del eyaculador precoz porque

Heather ya debe de saber a estas alturas que no lo es. Lo han debido de hacer ya mil veces, en mil sitios y de mil maneras...

—¡Kristin! —exclamó Sam.

—¿Qué? Ya sabemos todo que en lo que respecta al sexo eres una mojigata, pero no pretenderás que los demás seamos igual que tú, ¿no?

—¡No soy una mojigata! —se defendió Sam—. Lo que pasa es que tengo principios. En cualquier caso, Brad y Heather no se han acostado.

—¿Y tú cómo lo sabes?

—Brad me lo dijo anoche. Heather quiere esperar a la noche de bodas.

—Pues no sé si va a aguantar porque cómo lo mira... —silbó Kristin.

—Vamos a dejar de hablar de sexo. ¿Se os ocurre alguna manera para conseguir que no se casen? —insistió Sam.

—¡Sí! —exclamó Kristin al cabo de un rato—. Has dicho que Heather odia a los niños, ¿no? ¿Por qué no la llevas a un lugar lleno de niños para ver si pierde el control?

—¿Solo por verlos tú crees que podría perder el control? —preguntó Sam esperanzada.

—No creo —contestó Jeanette.

—¿Y si les pedimos que cuiden de tus hijos? —propuso Kristin.

—Eso sí podría ser... —contestó Sam—. Audrey, Brendan y Cassie sí que podrían hacerle perder los estribos.

—¿Qué has querido decir con eso? —preguntó Jeanette indignada.

–Nada –contestó Sam–. Sabes que quiero mucho a tus hijos, pero admite que a veces resultan un poco difíciles.

–¡Mis hijos son unos ángeles!

–Yo no diría tanto –intervino Kristin–. Parecen ángeles físicamente, pero se comportan como diablos.

–Tus hijos son perfectos –dijo Sam viendo sonreír a su hermana.

–Muy bien, presto a mis hijos para salvar a Brad.

–Estupendo. Mamá le ha dicho que sigue siendo de la familia, así que… –dijo Sam.

–¿Qué tal el sábado?

–¿Crees que lo hará? –preguntó Kristin.

–Claro que sí. Adora a los hijos de Jeanette –le aseguró Sam.

A pesar de sus palabras, Sam no estaba tan segura. A Brad le iba a parecer un poco raro que se lo pidieran a él.

Sam llamó a su móvil, pero nadie contestó. Llamó entonces a la habitación del hotel del Heather y Brad contestó el teléfono.

–¿Sí?

Sam sintió una punzada en la tripa.

«Lo han debido de hacer ya mil veces, en mil sitios y de mil maneras».

–¿Sí? –repitió Brad.

–Hola, Brad –contestó Sam apartando aquella idea de su cabeza–. Te llamo para pedirte un favor.

–Claro, dime.

–Acaba de llamar mi madre para decirle a Jeanette que no le puede cuidar a los niños el sábado y queríamos preguntarte si a Heather y a ti os importaría quedaros con ellos.

Silencio.

–¿Quieres que cuide a tus sobrinos? –dijo Brad por fin.

–Sí, bueno, no te lo pediría si no fuera porque tenemos una boda para el sábado y tenemos muchísimo trabajo. Como dijiste que querías verlos…

–Sí, claro que quiero verlos, pero nunca he cuidado niños.

–Pero Heather seguro que sí. Dijo que le encantan, ¿no?

–Sí, pero…

–Decidido, entonces –lo interrumpió Sam para que no se negara–. ¿Puedes pasar a buscarlos el sábado a las diez de la mañana?

Otro silencio.

Sam rezó para que dijera que sí.

–De acuerdo –dijo por fin.

Sam suspiró aliviada.

–Gracias, Brad. Te lo agradecemos mucho, de verdad.

–No me cabe la menor duda. Nos vemos el sábado.

## CAPÍTULO 5

SAM abrió la puerta de la tienda el sábado por la mañana y se encontró con gritos infantiles.

—¡No quiero irme con ellos!

Cassie, de cinco años, estaba agarrada a la pierna de su madre mientras Brendan, de seis, corría alrededor de la mesa y Audrey, de ocho, miraba soñadora por la ventana.

Sam miró a Brad y vio con alivio que parecía divertido ante la escena. Heather, sin embargo, estaba dando golpecitos con las uñas sobre la caja registradora y la expresión de sus ojos era decididamente fría.

«Funciona», pensó Sam encantada.

—¡Buenos días! —saludó.

—Hola, tía Samantha —contestó Cassie corriendo hacia ella.

—¿Qué te pasa, Cassie? —le preguntó Sam arrodillándose a su lado.

—Tenemos un problemilla —le explicó Brad—. Cassie no se quiere venir con nosotros.

—Si Cassie no va, yo tampoco voy —dijo Audrey.

—¡Yo sí voy! —gritó Brendan sin dejar de correr.

–Si tus hermanas no van, tú tampoco –dijo Jeanette.

Sam vio su perfecto plan arruinado.

–Cassie, ¿no te quieres ir con Brad? Pero si te va a llevar a un sitio muy divertido.

–¿Dónde? –preguntó la niña llorando.

–¿Dónde quieres ir? –le preguntó Brad.

–¡Al laberinto! –contestó Brendan.

–Sí, mira, el laberinto –dijo Sam–. El laberinto es muy divertido. Es mi sitio preferido. ¿A que quieres ir?

Cassie se metió el pulgar en la boca mientras consideraba la cuestión.

–Sí… pero si tú vienes, tía.

–¿Yo? –exclamó Sam–. No puedo, cariño. Tengo un montón de trabajo.

–Pues, entonces, yo tampoco voy –se cerró Cassie–. Me quedo y os ayudo. Mamá dice que soy muy buena ayudando.

Sam se estremeció y miró a su hermana, pero Jeanette se limitó a encogerse de hombros.

Sam consideró sus opciones: ir o despedirse de su plan. Miró a Heather.

La rubia seguía mirando a los niños. ¿Era desagrado lo que irradiaban sus ojos?

–Muy bien, voy con vosotros –contestó Sam.

Cassie sonrió encantada. Brad sonrió también. Heather arqueó las cejas.

–¿No habías dicho que tenías que terminar una boda para hoy? –preguntó.

–Sí, pero con volver a las cinco todo irá bien.

–Si no vas a trabajar, no es necesario que Brad

y yo cuidemos de los niños, ¿no? –apuntó la rubia con lógica aplastante.

–Oh, pero… pero les hace ilusión que vengáis.

–A mí me da igual que vengan o no –gritó Brendan.

–¡Brendan! –lo regañó su madre–. No seas maleducado.

–Perdón –se disculpó el niño sin parar de correr.

–¿No te apetece estar unas horas con ellos, Heather? Seguro que sí –insistió Sam–. Sobre todo con Cassie, que va a llevar las flores en tu boda.

–A mí me apetece mucho ir, cariño –dijo Brad–. ¿Te parece bien?

Heather no parecía muy contenta, pero asintió.

Así que se metieron todos en el coche de Brad, aquel día había llevado un Jeep Cherokee, y pusieron rumbo al laberinto.

Sam se sentó en la parte de atrás con Cassie en el regazo. Los niños se pusieron a gritar y a cantar a todo pulmón. En lugar de hacerles callar, como habría hecho en otro momento, Sam dejó que lo hicieran.

A pesar de que le iba a estallar la cabeza, tenía que conseguir que Heather perdiera los estribos.

Al llegar al laberinto, Brad compró las entradas.

–¿De verdad tenemos que hacerlo? –oyó Sam que Heather le preguntaba a su prometido.

–No podemos decepcionar a los niños –contestó él.

El laberinto eran una serie de paredes de madera con torres aquí y allá. El objetivo era encontrar esas torres y conseguir formar la palabra «laberinto» con las tarjetas que había en cada una. El primero en salir con la palabra terminada ganaba.

Cada adulto se tenía que hacer cargo de un niño. Heather miró a Brendan, que se estaba golpeando la cabeza contra los muros, y a Cassie, que hablaba sin parar, y agarró a Audrey de la mano.

Sam sonrió. Audrey parecía dulce y tranquila, pero era como un caballo salvaje. La iba a volver loca.

Brad eligió a Brendan y entraron también y Sam se quedó con la pequeña.

Una hora después, se arrepentía profundamente de haber ideado aquel plan. ¿Por qué habría elegido su sobrino el laberinto? ¿No podría haber preferido la playa como los niños normales?

Cassie y ella no habían encontrado ni una sola torre y estaban perdidas en mitad del laberinto.

–Estoy cansada –gimoteó la pequeña–. Me quiero ir a casa.

–Tenemos que encontrar la salida, cariño –contestó Sam intentando sonreír.

Cuando estaban en el colegio, la habían llevado allí con su clase y se había pasado horas para conseguir salir del laberinto. ¿Cómo había podido olvidarlo?

Al girar otra esquina, se chocó contra Brad.

–Hola, preciosa –sonrió él agarrándola de los antebrazos para que no perdiera el equilibrio–. Nosotros ya tenemos la L, la B y la T. ¿Has encontrado alguna, Cassie?

La niña lo miró con labios temblorosos.

–Seguimos buscando –contestó Sam apartándose de él–. Cassie me está ayudando mucho. No habría llegado hasta aquí si no llega a ser por ella.

–Ven conmigo –le dijo Brad a la pequeña agarrándola de la mano.

La condujo a través de un par de corredores, a izquierda y derecha, y llegaron a una de las torres.

–Brendan, ayuda a tu hermana a agarrar la letra.

Cuando los niños se hubieron alejado, se giró hacia Sam.

–¿Te lo estás pasando bien?

–Mataría al que inventó este sitio –contestó apoyándose exhausta en la pared.

–¿Cómo puedes decir eso? –rio Brad–. ¿Te acuerdas de cuando vinimos aquí con el colegio?

–Claro que me acuerdo. Dejé a Pete Mitchell por segunda vez porque me dejó sola en mitad de este sitio –contestó estremeciéndose al recordarlo.

Se había puesto minifalda y sandalias de tacón y a los diez minutos de estar allí tenía ampollas en los diez dedos de los pies. Pete, a quien había decidido como una tonta dar una segunda oportunidad, se había impacientado porque no podía andar rápido y la había abandonado a su suerte.

Sam, que no tenía mucho sentido de la orientación, se había dedicado a vagar por los pasillos medio oscuros del laberinto y, de repente, había sentido a alguien detrás. Aterrada, se había dado la vuelta para encontrarse con Brad mirándola con el ceño fruncido.

Más o menos como ahora.

—Mitchell era un imbécil —comentó.

Sam asintió.

—Si no me hubieras encontrado, todavía seguiría aquí.

Brad sonrió.

—Jamás me habría ido de aquí sin ti —le aseguró apartándole un mechón de pelo de la cara.

—No te puedes ni imaginar el alivio que sentí al verte —sonrió Sam—. Me dieron ganas hasta de besarte.

—Hmm, pues haberlo hecho. No me habría importado.

Sam se rio.

—¿Cómo que no? Pero si era como tu hermana… te habría puesto en un compromiso.

—No creo.

Algo en su tono de voz, hizo que lo mirara a los ojos. Inexplicablemente, Sam sintió que se le aceleraba el corazón. ¿Por qué la miraba así? Parecía que estuviera esperando algo, un movimiento por su parte.

—Dejé a Pete al día siguiente —continuó desviando la mirada–. Me encantó ver la cara que se le quedó. Fue como si le hubieran dado un puñetazo en la boca del estómago.

–Se lo merecía –murmuró Brad.

Sam frunció el ceño.

–No le… no, nada –se interrumpió.

Lo que se le acababa de ocurrir era ridículo.

–¿Qué? ¿No le di un puñetazo en la boca del estómago? Claro que se lo di.

–Pero, ¿cómo pudiste? Si te sacaba dos cabezas y era mucho más fuerte que tú…

–Porque venía de un colegio en el que había aprendido a defenderme, te lo aseguro. ¿Cómo no iba a poder con un niñato de Santa Mónica? –preguntó divertido.

–¿Y por qué le pegaste?

–¿Tú por qué crees que fue? –sonrió mirándola.

Sam se dio cuenta de repente de que lo tenía muy cerca. ¿Se había acercado sin que ella se diera cuenta? No lo sabía, pero lo cierto era que sus brazos se rozaban y que sus pupilas se habían encontrado y que…

–¡Ya la tengo, tía Samantha!

Brad se apartó y Sam, acalorada y fastidiada, se obligó a sonreírle a su sobrina.

–¿Estás bien? –le preguntó la niña–. Estás roja.

–Estoy bien –le aseguró sonrojándose todavía más–. A ver, enséñame la letra.

Cassie, encantada, le dio la L.

–Muy bien, cariño, vamos a ver si encontramos las demás –apuntó Sam apartándose de la pared.

Pero Brad la tomó del brazo.

–¿Por qué no unimos fuerzas? ¿Qué os parece si buscamos las letras juntos? –propuso.

–No sé si…

–¡Tío Brad! –protestó Brendan–. Son chicas. Nos van a hacer perder.

Sam sonrió encantada.

–Brendan tiene razón. Vamos, Cassie.

Pero no pudo alejarse pues Brad no la había soltado.

–¿Huyendo de nuevo, Sam?

–No sé de qué me hablas –contestó sin poder mirarlo a los ojos.

–Ya –dijo Brad soltándola–. Huye, huye mientras puedas.

Sam se alejó a paso ligero, como si estuviera huyendo de verdad, y no aminoró la marcha hasta que su sobrina y ella habían girado y habían perdido de vista a Brad y a Brendan.

Confundida, dejó que Cassie las guiara mientras ella se preguntaba qué acababa de pasar.

¿Por qué había pegado a Pete?

«¿Tú por qué crees que fue?», le había dicho.

Sam supuso que por algún sentimiento de responsabilidad sobre ella. Su madre le había pedido que cuidara de ella, algo que a Sam le había parecido ridículo, pero lo cierto era que de vez en cuando lo veía vigilando.

Tras la pelea con Pete, Sam había decidido protegerlo ella a él para que no le hicieran nada, pero Brad no había necesitado su protección.

Tenía apariencia débil, pero había resultado

ser un chico fuerte. Había creído conocerlo bien y se había equivocado. ¿Como ahora?

—¡Mira, tía, la salida! —gritó Cassie.

Sam siguió a su sobrina fuera y se encontró con Heather sentada en un banco y con Audrey saltando sin parar.

—Ah, aquí estás —suspiró la rubia—. Ya me estaba empezando a preguntar si os había pasado algo a Brad y a ti.

Sam sintió que se sonrojaba de nuevo y se abanicó con la entrada del laberinto. Menos mal que su sobrina mayor la salvó del mal trago.

—¡Hemos encontrado todas las letras en media hora! —exclamó emocionada—. ¡Heather no se ha perdido ni una sola vez!

Sam miró a Heather sorprendida.

—Me sé el secreto —sonrió la rubia de forma felina.

Sam sintió que odiaba a Heather más que nunca. Si hubiera sido otra persona, le habría preguntado cuál era el secreto, pero no pensaba hacerlo.

—¿Cuál es el secreto? —preguntó Cassie.

—No te lo puedo decir —contestó Heather—. Lo tienes que averiguar tú sola.

¿Se lo estaba diciendo a la niña o también a ella? En aquel momento, salieron Brad y Brendan y Sam se encontró con que no podía mirarlo a la cara.

«Basta ya. Estoy siendo ridícula», se dijo.

Tomó aire y lo miró, pero él ni se había fijado en ella. Estaba ocupado con Audrey.

–Heather sabe el secreto –gritó su sobrina.

Brad enarcó una ceja y tomó a su prometida de los hombros para decirle algo al oído. Sam apretó los puños. Ella creía que lo que había pasado en el laberinto… que significaba algo, que había visto algo especial en sus ojos. Obviamente, habían sido imaginaciones suyas.

La realidad era que Brad no podía quitarle los ojos, ni las manos, de encima a la rubia.

Sam se sintió de repente baja de moral. Su plan para que se descubriera que Heather odiaba a los niños había saltado por los aires.

Heather tenía todas las ventajas. Era guapa, lista y sabía el secreto. Tal vez, Brad no necesitara que nadie lo protegiera de todos los Pete del mundo, pero contra ella no tenía nada que hacer.

Tenía que hacer algo para librarlo de aquellas garras de manicura francesa, pero, ¿qué? Mientras volvían a la tienda de su hermana, no paró de preguntárselo.

–Samantha –dijo Brad–, tengo una sorpresa para ti.

–¿Una sorpresa? –dijo Sam sintiendo una punzada de curiosidad.

Brad asintió.

–Heather ha organizado una carrera benéfica de patines para mañana y te he apuntado.

–¿Cómo? –exclamó Sam clavando las uñas en la tapicería del coche.

–Te he apuntado a la carrera de patines de mañana –repitió Brad sonriente–. Es por una buena causa.

–Pero…

No podía decir que no sabía patinar en línea porque les había dicho que sí sabía.

–Lo siento –mintió–, pero mañana tengo muchas cosas que hacer. Tenemos una boda muy importante.

–¿El domingo? –preguntó Heather.

–Son judíos –contestó Sam.

–Te estás confundiendo –apuntó Brad–. Los Feldman se casan el domingo que viene. Ya he hablado con Jeanette y me ha dicho que mañana no te necesita.

–Pero tengo que ponerme con el vestido de Heather. Voy mal de tiempo y, además, hay que elegir los vestidos de las damas de honor…

–Eso ya está hecho –contestó Brad–. Los ha elegido Heather esta mañana.

Sam miró la melena rubia perfectamente peinada que tenía delante.

–¿Heather ha elegido mi vestido?

–¡Yo la he ayudado! –intervino Cassie–. Es preciosa, tía Samantha. Tiene montones de volantes rosas.

Al ver la sonrisa de satisfacción de Heather, estuvo a punto de decir que la única vez que se había puesto volantes rosas había sido para el funeral de una rubia, pero consiguió morderse la lengua.

–Entonces, tendré que tomar medidas y empezar a coser –insistió.

–Shin Ling me ha dicho que tiene tus medidas. Lin y ella se van a encargar de hacerte el vestido –le aseguró Brad–. Me dijeron que les venía muy bien el dinero.

–No sé si voy a estar un poco cansada después de lo de esta noche… –apuntó Sam intentando no parecer muy desesperada.

–Venga, Sammy. Me tengo que ir de viaje y va a ser la última vez que te vea antes de irme.

–¿Te vas de viaje? –preguntó Sam desesperada de verdad–. ¿Cuánto tiempo vas a estar fuera?

–Una semana más o menos. Tengo que ir a Washington DC para ultimar los detalles de la venta de RiversWare.

Sam se quedó en silencio. ¿Cómo iba a convencerlo de que no se casara con Heather si no estaba en la ciudad?

–Ven a la carrera, Sammy. Significa mucho para mí –le pidió mirándola por el espejo retrovisor.

Al ver sus ojos, sintió que el corazón comenzaba a latirle aceleradamente de nuevo, como en el laberinto. Brad estaba acostumbrado a salirse siempre con la suya y Sam lo sabía, pero no sabía patinar y no iba a ir a la carrera por muy intensa, insistente y atractiva que fuera su mirada…

–Claro que iré –se oyó contestar.

# CAPÍTULO 6

SAM llegó a Hollywood sobre las once de la mañana, exactamente dos horas tarde. Parecía que la carrera ya había terminado. Había un par de corredores protestando y Brad estudiando unas grietas que había en el asfalto.

Ni rastro de Heather.

Se habría ido a casa. Seguro que Brad habría insistido en esperarla. Él era así. Y claro, Heather se habría ido enfadada. ¿Habrían incluso discutido con un poco de suerte?

Sam había llegado tarde adrede, por supuesto. Lo tenía tan pensado que se había despertado a las seis de la mañana y, como no podía volverse a dormir, se había duchado y se había vestido.

A las siete, ya estaba en el coche dando vueltas a la ciudad. Se había parado un par de veces a tomar café con el único propósito de llegar todavía más tarde.

Su objetivo había sido no llegar a la carrera, pero parecía que se había librado también de ver a Heather. Tanto mejor.

Lo único que esperaba era que Brad no se hubiera enfadado con ella. Como si hubiera detectado su presencia, levantó la mirada y sonrió al verla.

Sam frenó el paso. La verdad era que tenía una sonrisa maravillosa. Deslizó la mirada hasta su pecho, bien marcado por la camiseta de deporte. Desde luego, aquellos hombros no eran producto de las hombreras.

¿Quién iba a decir que Brad tenía aquellas nalgas tan prietas y aquel frontal tan… respetable?

—Sam.

Se sorprendió al ver que se había quedado mirando sus pantalones de deporte como una tonta.

—Ah, sí… Estaba mirando tus pantalones porque… son de spandex, ¿no?

—No tengo ni idea —contestó Brad—. Mira la etiqueta a ver qué pone.

Lo había dicho con total naturalidad, como si hacer aquello fuera lo más normal del mundo. Tal vez lo fuera. Desde luego, dos años atrás, antes de que se fuera a Nueva York y a Europa, lo habría sido.

Entonces, habría mirado la etiqueta sin problema… ¿o no? No lo sabía. El último mes se había dado cuenta de que… Oh, Dios, no sabía de qué se había dado cuenta, ya no estaba segura de nada.

Lo que sí tenía claro era que se sentía rara con él desde que lo había vuelto a ver y más desde el día anterior en el laberinto.

No le gustaba aquella sensación. Tenía que deshacerse de ella, así que decidió que la única manera de conseguirlo era comportándose de la manera más natural posible.

Así que dio un paso al frente y metió la mano en la cinturilla de los pantalones intentando no fijarse en la pequeña marca de nacimiento que Brad tenía en la zona lumbar.

–Nylon –anunció– y spandex. El bolsillo es cien por cien de…

–Ah, estáis aquí –dijo una voz femenina a sus espaldas–. Samantha, ¿se puede saber qué haces?

–Está mirando de qué está hecho el pantalón –contestó Brad con naturalidad.

–¿Ah, sí?

Sam detectó la aspereza de su voz y se sintió como si la hubieran pillado con las manos en la masa, lo que era completamente ridículo porque no le interesaba la masa de Brad ni lo más mínimo.

–Ya sabes que a Sam le interesa todo lo que tenga que ver con el mundo de la confección, las telas y esas cosas.

–Ya –dijo la rubia poco convencida–. Has llegado tarde –añadió sonriendo.

–Sí, es que me he dormido –contestó Sam–. La boda de ayer no salió bien… El novio era camboyano y a su madre no le hacía ninguna gracia que se casara con una estadounidense. No sabéis la pena que me da haberme perdido la carrera.

–¿Bromeas? Pero si la carrera es a las doce.

–¿A las doce? –repitió Sam lívida–. Pero Brad me dijo que…

Miró a Brad, quien se limitó a enarcar las cejas.

–¿No me dijiste que la carrera era a las nueve?

–Me debiste de entender mal.

Dos años atrás lo habría creído.

–No te creo –le dijo.

Brad sonrió con picardía.

–Bueno, puede que te citara un poco antes de lo necesario porque como sé que siempre llegas tarde…

–¡Eso no es verdad!

–¿Cómo que no? Admite la verdad.

¿Qué manía tenía Brad con aquello de la verdad? Ya le había sacado el tema a relucir al volver del almacén.

–¿Por qué no dejáis de pelearos? –apuntó Heather fingiendo un bostezo–. Brad, uno de los organizadores quiere hablar contigo y tú, Sam, tienes que calentar.

–Se me han olvidado los patines –improvisó Sam desesperada.

–Yo tengo de sobra –dijo Brad–. También tengo rodilleras y coderas.

Con aquello, Heather y él se alejaron patinando y la dejaron allí con los patines. ¿De verdad iba a tener que correr aquel horrible maratón?

Maldiciendo a Brad por el engaño, sacó los preciosos patines rojos y negros de la bolsa y rezó para que le quedaran pequeños o grandes. No hubo suerte. Le estaban perfectos.

Para cuando se hubo puesto las rodilleras y

las coderas, habían llegado un montón de chicas esculturales en biquini con sus acompañantes igual de esculturales.

Tomó aire y se puso en pie.

Inmediatamente, los tobillos se le fueron hacia adentro.

¿Cómo iba a conseguir hacer aquello?

Brad y Heather se acercaron a ella.

–¿Estás bien? –le preguntó él–. Pareces nerviosa.

–¿Ah, sí? –dijo Sam intentando disimular, como si estuviera acostumbrada a participar en carreras de patines todos los días–. Lo cierto es que nunca he patinado tanta distancia.

–No te preocupes –la tranquilizó Brad–. No va a ser duro. Solo hay que dar dos vueltas. Son cinco kilómetros.

¡Cinco kilómetros! Intentó tranquilizarse pensando en que iba a ser por una buena causa.

–Vamos –dijo armándose de valor–. Quiero poner mi granito de arena. Por cierto, ¿para qué asociación o proyecto son los fondos?

–Para la Sociedad para la preservación de la rata de árbol de Hollywood –contestó Heather.

–¿Cómo?

Sam no había oído hablar de aquella organización jamás y, además, ¿quién quería salvar a las ratas? Ella no, desde luego. ¿Iba a tener que patinar cinco kilómetros a pleno sol para salvar a aquellos roedores?

–Hace mucho tiempo que no patino –dijo a

modo de disculpa–. No sé si voy a poder hacer el recorrido completo.

–No te preocupes, iremos los tres juntos para que no te pase nada –dijo Brad.

Heather sonrió con malicia.

Sam echó los hombros hacia atrás con dignidad y, de repente, no le importó la distancia que tuviera que recorrer o la razón de aquella carrera. Solo quería que Brad viera la cara de su prometida, pero él estaba mirando la hora y no la vio.

–Vamos –dijo–. Tenemos que ir hacia la salida.

Sam se sintió esperanzada de repente.

Se había pasado buena parte de la noche intentando idear otro plan para que Brad rompiera su compromiso con Heather y no se le había ocurrido nada, pero ahora resultaba que Heather se estaba poniendo nerviosa por tener que esperarla.

A Brad no le iba a gustar nada que su prometida se portara mal con ella. Sabía que podía contar con su amistad. Así podría pensar en ello durante su viaje.

Llegó a la meta agarrada al brazo de Brad para no caerse. Debía de haber allí unas cincuenta personas, pero no parecían muy entusiasmadas. Más bien, todo lo contrario.

De hecho, llevaban pancartas en las que se leía «Muerte a las ratas de árbol de Hollywood» o «La única rata buena es la que está muerta».

A Sam le cayeron bien al instante. Le gustaban los animales, pero no las ratas. Lo cierto era que se hubiera sentido más a gusto con una pancarta que con los patines.

Miró a Brad y pensó que le sorprendía que apoyara semejante causa. Claro que lo debía de hacer por Heather. A ella sí que le iba todo apoyar a las ratas… tan parecidas a ella…

Oyó el pistoletazo de salida y los corredores comenzaron a patinar. Sam sintió un empujón y se habría caído al suelo si Brad no la hubiera agarrado de la cintura.

Se apoyó en él mientras patinaba como podía. En pocos segundos, todos los participantes les habían adelantado, pero Sam no se dio cuenta pues estaba mirando los patines fijamente y haciendo un esfuerzo tremendo para seguir avanzando.

El tiempo pasaba con agonizante lentitud. El sol apretaba fuerte y Sam sentía el sudor por todo el cuerpo.

—¿Cuánto queda? –preguntó exhausta.

—Cuatro kilómetros novecientos metros –contestó Brad.

—A este paso vamos a tardar dos años –protestó Heather.

A pesar de la agonía, a Sam le encantó la respuesta de su amigo.

—Lo está intentando –dijo Brad mirando a Heather con el ceño fruncido.

La rubia se apresuró a disculparse.

—Perdón. No quería parecer impaciente, pero

si terminamos la carrera conseguiremos más dinero.

–Tienes razón –dijo Brad–. ¿Por qué no te adelantas tú?

–¡Oh, no! No me sentiría bien dejandoos así.

–No te preocupes, ya llegaremos como podamos –le aseguró Brad.

–Si estás seguro… –dijo Heather.

–Estoy seguro –contestó Brad con una ironía que Sam no acertó a comprender.

–Si insistes, está bien –concluyó Heather alejándose con movimientos seguros.

Sam sintió que el corazón se le caía a los pies. ¿Cómo iba a conseguir que Brad viera cómo era su prometida de verdad si no se quedaba con ellos?

–Lo estás haciendo muy bien, Sam.

Sam lo miró y él sonrió de forma automática.

En ese momento, a pesar de que Brad la llevaba agarrada de la cintura, Sam perdió el equilibrio y se fue al suelo.

Pero un brazo fuerte y poderoso impidió que lo rozara.

–¿Estás bien?

Sam recuperó el equilibrio, pero no el aliento. Sus cuerpos estaban en contacto y a Sam se le antojó que hacía más calor que nunca.

–¿Sammy?

–Creo que voy a tener que parar un poco –contestó en un hilo de voz.

Ocho años atrás le había pasado lo mismo en

la pista de patinaje y, entonces, se había reído a carcajadas, pero ahora no le apetecía reírse.

Brad la guió hasta el bordillo, fue a buscar una botella de agua y se sentó a su lado. Sam se apretó la botella contra las sienes y las muñecas mientras los tres primeros participantes pasaban ante ella en la segunda vuelta.

–No veo a Heather –comentó Brad.

Aquel nombre fue más efectivo que el agua helada.

–Brad…

–Dime.

–Espero que Heather no se haya enfadado por haberos hecho ir más despacio.

–No te preocupes, Heather no es así.

–¿No tendrías que ir al oftalmólogo? –murmuró Sam.

–¿Cómo?

–Digo que parecía un poco molesta cuando se ha ido.

–No, lo que pasa es que está muy preocupada por las ratas de Hollywood.

–Claro… Y tú, eh, ¿a ti te preocupan esos animales?

–A mí me preocupa todo lo que le preocupe a Heather.

Sam tomó aire y sintió un tremendo dolor en el pecho. Brad quería a Heather de verdad. Iba a sufrir mucho cuando descubriera lo mala persona que era. No se merecía aquello y Sam deseó poder hacer algo para evitarle aquel dolor.

–¿Lista para volver a la carrera?

–No, me he debido de torcer el tobillo o algo –improvisó.

–Vamos a mirarlo no vaya a ser que te hayas hecho un esguince.

–No, no, no hace falta –protestó Sam mientras Brad le quitaba el patín.

–Hay que tener cuidado con estas cosas –insistió Brad estudiando el tobillo.

Al sentir el pie liberado de aquel artilugio de tortura, Sam no pudo evitar suspirar.

–¿Te he hecho daño?

–Un poco –mintió.

Brad le quitó el calcetín y siguió palpando.

–¿Te duele esto?

Sam sintió que se le ponía la carne de gallina, pero no le dolía nada.

–No –admitió.

Sus miradas se encontraron y Sam vio que Brad sonreía. El sol le daba en el pelo y en los ojos... aquellos ojos azules que cada vez tenía más cerca...

–¡Pero qué hacéis! –exclamó Heather.

–Descansando porque me he hecho daño en el tobillo –contestó Sam cerrando los ojos.

Al abrirlos, vio que Brad estaba de pie hablando con su prometida. No parecía muy contento.

–Lo siento –oyó decir a la rubia–. No me había dado cuenta... –añadió mirándola–. Luego te lo recompensaré. Te lo prometo, cariño.

Sam apartó la mirada y sintió náuseas. El sol debía de haberle afectado más de lo que creía.

—Voy por el coche —anunció Brad.

En cuanto se hubo alejado, Heather la miró con mirada asesina.

—Ahora lo entiendo todo, lo quieres para ti. No sé cómo no me he dado cuenta antes. Pues será mejor que te vayas olvidando. Brad jamás se fijaría en una mosquita muerta como tú. No creo ni que se haya dado cuenta de que eres una mujer. Si estás pensando en seducirlo, ni se te ocurra. Se reiría en tu cara.

# CAPÍTULO 7

**H**EATHER se alejó patinando. Sam se quedó mirándola y clavó las uñas en la acera. ¿Cómo podía ser tan caradura?

Le estaría bien empleado que sedujera a Brad. Desde luego, sería una buena forma de romper su compromiso. Podría invitarlo a casa y llevarlo a su dormitorio. Podría ponerse de puntillas, agarrarlo del cuello y besarlo…

¿Pero en qué estaba pensando? Brad era su amigo. No podía hacerle aquello. Además, no era una seductora. Aunque lo intentara con todas sus fuerzas, no lo conseguiría.

¿O sí?

Recordó cómo la había mirado hacía unos minutos, igual que en el laberinto, como si la fuera a besar…

No. Era un hombre prometido. No se le pasaría por la cabeza besar a otra mujer que no fuera su futura esposa. ¿verdad?

Tal vez, había sido solo curiosidad por besar a otra mujer precisamente porque se iba a casar en breve. Tal vez, Brad se preguntara cómo sería besarla. Ella también se lo preguntaba y…

Por Dios.

Se quitó el otro patín mientras se decía que, probablemente, la iba a besar en la mejilla o en la punta de la nariz o en la frente. Seguro que no la iba a besar de verdad. Si lo hubiera hecho, todo se habría complicado. Su amistad se habría visto seriamente dañada.

Y su amistad significaba demasiado para ella como para permitir que aquello sucediera.

Sam no pudo dormir bien aquella noche.

En su pequeño apartamento hacía un calor insoportable y no podía dejar de soñar con una gaviota de ojos azules que besaba a otra de pelo castaño y le decía «solo somos amigos».

El lunes por la mañana, fue a trabajar con ojeras y consiguió que Jeanette y Kristin se miraran de forma extraña.

–¿Qué pasa? –preguntó a la defensiva.

–Ya te dije que era una locura que fueras a una carrera de patines –contestó Kristin–. Pareces un cadáver.

Jeanette, ataviada con un traje gris que la hacía parecer una funcionaria de prisiones, la miró preocupada.

–¿Qué te ha pasado? ¿Te has hecho algo?

–No, estoy bien –le aseguró Sam observando que el vestido de la señorita Blogden no estaba en el maniquí–. Solo un poco magullada.

–¿Has quedado como una tonta delante de Heather? –preguntó Kristin con su acostumbrada falta de tacto.

Sam la miró y suspiró.

–Más o menos. Se puso desagradable cuando me vio lo mal que patinaba y yo recé para que Brad se diera cuenta, pero no fue así –admitió desplomándose en el sofá–. No hay nada que hacer. Brad va a estar fuera una semana y no sé qué hacer.

–Mejor así –apuntó Jeanette escribiendo en el ordenador–. Desde el principio me ha parecido una locura que interfirieras entre ellos.

Sam se estaba empezando a cansar de la falta de apoyo de sus hermanas. ¿Qué había sido de la lealtad fraternal? No parecían entender lo importante que era salvar a Brad.

–Además, nadie puede hacer que Heather parezca una mala persona.

–Solo mamá –apuntó Kristin de forma distraída mientras se ocupaba de unas cajas–. Ella sí que es capaz de sacar a cualquiera de sus casillas.

–¡Kristin! –la regañó Jeanette.

–¿Qué has dicho? –preguntó Sam.

–Que mamá es capaz de sacar de sus casillas a todo el mundo –repitió su hermana pequeña–. Y las dos sabéis que es verdad.

–Brad y Heather cenando en casa de mamá –dijo Sam pensativa–. Podría funcionar.

–Samantha… –dijo Jeanette frunciendo el ceño.

–Tienes razón –dijo Kristin–. Si las técnicas inquisitoriales de mamá no consiguen acabar con ella, lo hará Dave.

–¡Kristin! No hables del marido de mamá así.

–¿Por qué no? Pero si cuando se casaron, hasta tú dijiste que era tan soso como una patata hervida.

–Es un poco simple, sí, pero eso no es excusa para no respetarlo.

Sam se imaginó la escena y sonrió. Su madre parecía una mujer agradable, pero cuando alguien no le caía bien no tenía piedad.

Heather no iba a salir bien parada de aquello.

–Sí, en cuanto Brad vuelva de viaje, le voy a decir a mamá que los invite a cenar. A mamá no le va a caer bien Heather porque es actriz y a Heather mamá y a Dave le van a caer fatal. Ya verás la cara que va a poner cuando se entere de que Brad tiene intención de pasar todas sus vacaciones con ellos.

–Me parece fatal lo que vas a hacer –protestó Jeanette–. Y a mamá tampoco le va a hacer ninguna gracia.

–No se lo vamos a decir, ¿eh?

–Esto no me da buena espina –insistió Jeanette.

–¿Eres adivina o qué? –dijo Sam cansada de la negatividad de su hermana mayor–. Al fin y al cabo, no va a producirse una catástrofe, ¿no?

Jeanette no parecía muy convencida y, muy a su pesar, Sam reconoció que no las tenía todas consigo. Hasta aquel momento, no había conseguido desenmascarar a Heather. Si aquel plan fallaba, no iba a tener mucho tiempo para idear otro…

–Hola, mamá –dijo llamando a su madre–. ¿Me podrías hacer un favor? ¿Podrías invitar a Brad y a Heather a cenar la semana que viene? Sí, ya sabía yo que te iba a apetecer conocerla antes de la boda. Por cierto, ¿te ha dicho Kristin que es actriz?

# CAPÍTULO 8

**V**ERA Gillespie había conocido a Dave Evans en un club de jardinería justo después de divorciarse del padre de Sam. Se habían casado unos años después y se habían ido a vivir a casa de él.

Se trataba de un edificio de los años setenta en la que todo era verde. A Sam nunca le habían gustado ni él ni su casa… hasta aquella noche.

–El aguacate me está dando problemas –comentó Dave con su voz nasal–. Los hongos anthracnose se lo están comiendo vivo, así que le di pesticida y le fue bien, pero le han salido unas manchas marrones en las hojas que me tienen preocupado –añadió mirando a Heather–. Me temo que son hongos cercospera. Son horribles de quitar. Solo se puede hacer con cobre, pero claro…

Dave, que tenía cierta tonalidad verde de comer tantos aguacates, llevaba una camisa hawaiana y unos pantalones cortos color aceituna. Apenas había probado la enchilada de pollo pues estaba demasiado ocupado poniendo a Heather al día sobre las diferentes clases de hongos que atacaban a los aguacates.

La rubia, con una sonrisa forzada desde hacía un buen rato, estaba anonadada.

Sam no entendía por qué su madre se había casado con Dave. Lo cierto era que no sabía qué había podido ver en un hombre tan normal después de haber estado casada con su padre, que era mucho más dinámico.

Sin embargo, aquella noche, por primera vez Sam sintió cierto aprecio por él. Es más, cuando vio que a Heather se le cerraban los ojos sintió ganas de abrazarlo.

A su madre, también. Vera, ataviada con unos pantalones de poliéster beis tan feos como los que tenía su hermana Jeanette, no se había dejado engañar por el vestidito de margaritas y el bolsito de paja de Heather.

De hecho, le había ido haciendo preguntas cada vez más personales. Su instinto le había hecho ver que Heather no era lo que quería hacer creer. Era patente que no le gustaba aquella chica.

Sam estaba encantada. La noche iba sobre ruedas. Heather parecía inquieta y parecía querer irse. Sam estaba convencida de que no lo hacía por Brad.

Brad... Sam lo miró. Estaba relajado, pero aquello no había impedido que hubiera hecho incisos graciosos cada vez que Vera había atacado a Heather.

Sam no podía dejar de mirarlo. Llevaba toda la noche ayudando a su prometida y en más de una ocasión Sam había sentido ganas de meterle la servilleta en la boca.

Se tuvo que conformar con pensar que no había conseguido engañar a su madre. Y así era. Vera había dejado que Dave hablara de sus aguacates durante un buen rato, pero ya se estaba hartando.

—Así que os casáis en tres días, ¿eh? —intervino—. ¿Y por qué tantas prisas? ¿Estás embarazada? —le espetó.

—Solo enamorados —contestó Brad sonriendo a la rubia.

—Me han contado que las actrices os tenéis que acostar con mucha gente para conseguir papeles en las películas, ¿no?

Sam miró a Heather y la vio apretar el tenedor con fuerza. Esperó.

—Esas cosas ya no pasan, Vera —dijo Brad—. Hoy en día, con eso del acoso sexual es imposible. Solo se consiguen papeles por tener talento y trabajando duro.

—Ya —dijo Vera fastidiada porque el mundo del cine no fuera el amasijo de historias sexuales que ella creía—. Pero, aun así, hay que estar dispuesta a desnudarse ante las cámaras para que te contraten, ¿no?

Brad estuvo a punto de atragantarse con los frijoles.

—Casi todas las actrices tienen principios morales muy fuertes y, además, participan en actos benéficos. Heather, por ejemplo, ha ayudado a organizar la carrera de patines en la que participó Sam ayer.

—Samantha no me había comentado nada de

que fuera a competir en una carrera –dijo Vera mirando a su hija–. ¿Y para qué era dices? –añadió mirando a Heather con recelo.

–Para la Sociedad para la preservación de la rata de árbol de Hollywood –contestó la rubia.

Vera se quedó con la boca abierta.

–¿Pides dinero para salvar ratas?

–Es una especie en vías de extinción –sonrió Heather.

–Cualquiera lo diría –apuntó Vera sirviéndose maíz.

Heather tomó aire. A Sam le pareció que miraba a su madre con desprecio.

–Yo he tenido que llamar a una empresa para que viniera a matar las que había en el jardín –intervino Dave sin darse cuenta de la tensión–. Se estaban comiendo mis aguacates.

–Espero que tuvieran cuidado de que no fueran ratas de árbol de Hollywood –le advirtió Heather.

–¿En qué se diferencia una rata de árbol de Hollywood de una normal? –preguntó Dave.

–La primera es rubia, delgada y elegante –contestó Heather comiendo ensalada–. Es muy superior a la rata normal y corriente.

Vera torció la nariz y se revolvió en la silla.

–A mí me parece un roedor inútil. Seguro que se aparean unos con otros de forma descontrolada.

Heather apretó el cuchillo hasta que se le pusieron los nudillos blancos. A continuación, dejó los cubiertos muy despacio sobre la mesa y miró a Vera a los ojos. La madre de Sam, visiblemente buscando pelea, dejó la cuchara con la que se estaba sirviendo y le devolvió la mirada.

A Sam le parecía ver la bandera roja. Tomó un nacho y observó. Heather abrió la boca.

–Vera –dijo Brad amablemente–, ¿sabes que Heather, Sam y yo llevamos a los niños de Jeanette al laberinto? Se lo pasaron en grande.

–Sí, su madre me comentó algo –contestó Vera desviando su atención hacia él.

–Heather y yo también nos los pasamos muy bien –continuó Brad–. Sobre todo, Heather. Audrey, Brendan y Cassie le cayeron de maravilla.

Sam se dio cuenta de que la rubia se quedaba estupefacta, pero cuando su madre volvió a mirarla ya había recobrado la expresión normal.

–Son unos niños fantásticos –apuntó.

–Heather dice que son muy guapos –apostilló Brad.

Para horror de Sam, la expresión de su madre se dulcificó.

–¿Verdad que sí?

–Claro que sí –insistió Brad sirviéndose salsa sobre la enchilada–. Además de guapos, Heather dice que tienen algo difícil de ver, algo único.

Vera hinchó el pecho como un pavo real.

–A mí siempre me han parecido especiales. Jeanette y yo lo hemos hablado muchas veces.

–Heather me ha preguntado si tu hija se ha planteado alguna vez hacerlos modelos –dijo Brad probando la enchilada–. Se gana mucho dinero, ¿sabes?

–Oh, no, no. Tienen que tener una infancia normal –contestó Vera visiblemente halagada.

–Tienes razón. Te quería pedir un favor hablando de los niños. Heather quería que Audrey fuera dama de honor y Brendan llevara las arras. Cassie va a llevar las flores, ¿sabes? Lo cierto es que Jeanette nos ha dicho que los dos mayores no porque que los tres juntos a lo mejor dan problemas.

–¡Mis nietos nunca dan problemas! –exclamó Vera olvidando las tres ventanas rotas, el cisne de piedra decapitado del jardín y la dentadura postiza de Dave que encontraron por ahí enterrada.

–¿Te importaría hablar con Jeanette?

–Por supuesto que no –contestó Vera encantada.

Sam se echó hacia atrás en la silla. Estaba segura de que Heather había estado a punto de estallar. Si Brad no se hubiera metido...

Lo miró y se encontró con que él también la estaba mirando. Y estaba sonriendo. Al darse cuenta de que lo estaba mirando, la sonrisa se esfumó y Brad volvió la atención a Vera, que le estaba contando a Heather que Audrey había ganado el concurso de poesía, Brendan el campeonato de baloncesto y Cassie había sido la protagonista del último ballet.

¿Por qué parecía Brad enfadado? La había mirado como diciéndole «sé perfectamente lo que estás pensando».

Lo que más rabia le daba era que normalmente

solía saberlo. Pero aquella vez era diferente. Era imposible que lo supiera. Si sospechara que estaba intentando romper su compromiso, se pondría como una fiera.

Seguía pensando que era perfecta. Cuando la había llamado desde Washington durante su viaje se lo había dejado bien claro.

—Heather nunca se queja por nada —le había dicho la primera noche—, así que quiero que, si algo va mal, me lo digas.

¿Si algo iba mal? Todo iba mal. Tenía que hacérselo ver y lo había intentado, pero a la mínima crítica Brad se lanzaba a ensalzar las virtudes de la rubia, algo que Sam no podía soportar, así que terminaba cambiando de tema.

Entonces, hablaban con soltura durante horas de hecho.

Si no hubiera sido por la sombra de su boda, Sam habría disfrutado mucho más de aquellas conversaciones. Le resultaba mucho más fácil hablar con él por teléfono que cara a cara.

Cuando lo tenía delante se ponía nerviosa. A veces, tras colgar, se tumbaba en la cama y deseaba que las cosas entre ellos fueran siempre así, que todo volviera a ser como cuando estaban en el colegio…

Se sirvió azúcar en el té y miró a Brad mientras lo revolvía. Las cosas nunca volverían a ser igual si Heather no desaparecía. No iba a ser fácil porque Brad la tenía en un pedestal. Tenía que ver con sus propios ojos lo equivocado que estaba.

–¿No quieres enchilada, Heather? –preguntó Sam amablemente.

–No, gracias –contestó la rubia.

Tal y como Sam había esperado, Vera miró el plato de Heather.

–¿Solo vas a comer eso? No serás anoréxica, ¿no?

–No, nada de eso –contestó Heather–, lo que pasa es que voy a hacer un anuncio y el director me ha dicho que tengo que perder un par de kilos.

–No me parece bien que las jóvenes comáis tan poco –insistió Vera en tono maternal.

Aquella no era en absoluto la reacción que Sam quería.

–No es sano. ¿No te ha hablado tu madre de los efectos de no comer bien? –continuó.

Brad le pasó el brazo por los hombros a su prometida.

–No tuvo tiempo de enseñarle casi nada porque murió cuando Heather tenía doce años –dijo en tono solemne.

Todos callaron. Incluso Vera.

–Cuánto lo siento –dijo por fin–. Debió de ser difícil para tu padre y para ti.

–Su padre también murió –dijo Brad–. Heather quedó muy afectada, ¿verdad, cariño?

La aludida bajó la mirada y asintió.

–¿Cómo murieron? –preguntó Vera.

–En un accidente de coche –le explicó Brad–. Volvían de la costa este de donar médula ósea para la investigación de cáncer y un toro que padecía la enfermedad de las vacas locas los embistió. Los dos salieron del coche para intentar apaciguar al pobre animal y terminaron muriendo corneados.

Sam frunció el ceño.

—¿Pero la enfermedad de las vacas locas no era solo en Europa?

—¡Samantha! —la increpó su madre—. ¿Estás diciendo que Heather se ha inventado una cosa así?

—No, solo estaba haciendo una pregunta… —contestó Sam viendo que la miraban como si la que sufriera la enfermedad fuera ella—. Lo siento, Heather. No ha sido mi intención poner en duda tu historia.

—¿Quieres un poco de guacamole? —le preguntó Dave a Heather con lágrimas en los ojos.

—Gracias —contestó la rubia sirviéndose media cucharada.

—¡Pobrecita mía! —exclamó Vera al borde de las lágrimas también—. ¿Y qué hiciste?

—Se fue a vivir con sus abuelos —contestó Brad.

Vera le tomó la mano a Heather.

—Menos mal que los tenías a ellos.

—Sí, les estoy muy agradecida —murmuró la rubia.

—Hicieron todo lo que estaba en su mano… a pesar de que eran inválidos —apuntó Brad.

—¡Inválidos! —exclamó Vera—. ¿Pero y quién cuidaba de ellos?

—Heather.

—Era lo mínimo que podía hacer —explicó la

aludida–. Si no hubiera sido por ellos, me habría criado en un orfanato. A veces, sin embargo, resultaba difícil porque tenía que cuidarlos, ir al colegio y trabajar por las noches…

–¿Trabajabas por las noches? Pero si eras muy pequeña…

–Sí, pero necesitábamos el dinero. Además, como siempre he parecido mayor de lo que soy, me dieron trabajo en el Big Boy's. No me importaba llevar ropa de segunda mano y comer pasta todas las noches con tal de estar con mis abuelos.

Dave tomó aire.

–Te voy a poner en una bolsa unos cuantos aguacates para que te los lleve a casa –dijo.

–Eres la chica más valiente que he conocido en mi vida –dijo Vera–. Brad, tienes que cuidarla bien. Se lo merece después de todo lo que ha pasado.

«Lo que se merece es un Oscar», pensó Sam.

Dave y su madre se habían tragado su historia como dos tontos. Sam estaba dispuesta a apostarse el cuello a que Heather se lo había inventado todo, pero también sabía que nadie la creería… a menos que tuviera pruebas.

–No te preocupes, la voy a tratar como a una princesa –sonrió Brad mirando con cara de bobalicón a su prometida.

Sam se preguntó como un hombre de negocios tan inteligente podía ser tan bobo. Y pensar que Sam siempre lo había tenido por una persona lista. Al fin y al cabo, siempre había tenido buena vista para la gente, por lo menos con sus novios.

Había tardado dos minutos en descubrir que Pete era un gallito posesivo, Terry un enclenque dependiente y Stewart un aburrido ególatra. ¿Por qué le costaba tanto entonces ver cómo era Heather en realidad?

Sam mojó un nacho en la salsa picante mientras su madre se sonaba la nariz.

—Supongo que eso de ser actriz no está tan mal —dijo Vera—, pero de todas formas no te queda mucho claro porque una vez casada dejarás de trabajar, ¿verdad? El matrimonio y los niños son lo más maravilloso del mundo… aunque algunas no opinen lo mismo.

Sam sintió que su madre la miraba.

—Si Samantha se casara… —continuó su madre—. Lo malo es que parece encantada con la vida vacía que lleva…

—Mamá…

—Y salta de novio y en novio…

—Mamá…

—¿Qué pasó con el último, por cierto, aquel que trajiste en Navidad? ¿Cómo se llamaba? ¿Jean Paul? ¿Qué tenía de malo ese chico?

Que la presionaba para casarse, eso era lo que tenía de malo. Sam sospechaba que lo que quería era conseguir la nacionalidad, pero no dijo nada.

—Mamá, ya te dicho que antes de casarme quiero tener afianzada mi profesión.

—¡Profesión! ¿Qué profesión? Te pasaste tres años en la universidad para nada. Si hubieras terminado, tendrías una licenciatura.

A Sam le estaba empezando a doler la cabeza. Adoraba a su madre, pero la odiaba cuando cuestionaba su vida. Era cierto que no sabía muy bien por dónde tirar, pero estaba intentando dilucidarlo, que ya era algo.

–Yo tengo muy claro lo que va a hacer Sam –intervino Brad–. Va a ser diseñadora de moda.

Todos lo miraron, incluida Sam, con la boca abierta.

–¿Diseñadora? –dijo su madre–. Pero si Samantha tiene un gusto pésimo vistiendo –añadió limpiándose una miga que le había caído sobre la blusa de flores moradas y amarillas.

–Tiene talento –sentenció Brad–. No hay razón para que no pueda retomar los estudios en la universidad. Tengo un amigo en el instituto de diseño. Si quieres, lo llamo mañana mismo, Sammy.

–Haría mucho mejor en casarse y tener hijos –protestó Vera–. Toda mujer necesita un hombre…

–Sí, pero es importante encontrar al adecuado –dijo Brad–. A mí me ha llevado tiempo encontrar a la persona perfecta, pero ahora tengo a Heather y ha merecido la pena. Es mejor esperar que conformarse con cualquier cosa, ¿no crees, Vera?

Vera miró a Dave, que estaba terminándose el guacamole y sonrió feliz.

–Sí –contestó–. Mira lo que me pasó a mí. El primer matrimonio a la basura por haberme precipitado…

–Mamá, hay tarta de fresa de postre, ¿verdad? –dijo Sam–. Voy a buscarla.

Una vez en la cocina, Sam se apoyó en la nevera y cerró los ojos. Quería irse del salón para no escuchar cómo hablaba su madre de su padre, pero sobre todo para pensar en lo que Brad había dicho.

¡Diseñadora de moda! Por supuesto, eso era exactamente lo que quería hacer. ¿Cómo no se había dado cuenta antes? Era obvio, pero no se le había ocurrido hasta que no lo había oído de labios de Brad.

Brad… ¿Cómo lo había sabido? A veces, Sam pensaba que la conocía mejor que él que ella misma. Lo había echado de menos aquellos dos años, más de lo que se había dado cuenta entonces.

En Nueva York y en Europa lo había echado mucho de menos y cuando lo había vuelto a ver algo dentro de ella había explotado de felicidad porque Brad era su mejor amigo. No, no solo eso. Era… era…

En ese momento, se abrió la puerta de la cocina y entró Heather.

—He venido a ayudarte con los cubiertos… Era la única manera de librarme de esa arpía.

Sam fue a contestarle, pero se mordió la lengua. Aquella era la oportunidad que había estado esperando.

—Siento mucho lo de tus padres —dijo metiéndose las manos en los bolsillos—. Debe de ser horrible morir corneado por un toro con la enfermedad de las vacas locas.

—Una historia muy buena, ¿verdad? —rio Heather.

–¿Cómo? –dijo Sam fingiendo inocencia.

–No te lo habrás creído, ¿no? Todo eso de los abuelos inválidos y el orfanato. Madre mía, pero mira que sois todos tontos. Le conté eso a Brad para darle pena y surtió efecto. Él también se lo creyó.

Sam se tuvo que contener para no abofetearla.

–¿Te importa lo más mínimo Brad? ¿Sientes algo por él?

–Por favor, no me vengas con actuaciones a mí. No te pongas ahora en plan indignada. Está muy claro que tú también quieres su dinero.

–¡Eso no es cierto! ¡A mí me importa él!

–Ya, claro. ¿Pretendes que me crea que estás haciendo todo esto porque lo quieres?

–Claro que lo quiero aunque no como tú crees. Es mi mejor amigo y quiero que sea feliz.

–¿Me tengo que creer que lo único que te interesa de Brad, que es rico, sexy y guapo es su amistad? Anda ya.

Sam se quedó mirándola fijamente.

–Está claro que no tienes ni idea de lo que es la amistad.

–Lo que está claro es que tú no tienes ni idea de sexo.

Pi, pi, pi.

–¿Qué es eso? –preguntó Heather confusa.

–Una grabadora –contestó Sam sacándose del bolsillo el aparato que había comprado aquella mañana.

–¿Una grabadora? –repitió la rubia desconcertada.

Sam disfrutó de aquel momento.

–A Brad le va a encantar oír esto –dijo triunfante dándole al play.

Hubo unos segundos de silencio, luego un clic y… dos voces que no se entendía lo que decían.

Sam se quedó mirando horrorizada la grabadora.

Heather se puso a reír.

–Sí, desde luego a Brad le va a encantar oír eso. ¿Ni te has molestado en comprobar que funcionaba antes de grabar? –se burló agarrando los cubiertos y yendo hacia la puerta–. Obviamente, no tienes cabeza suficiente para que un hombre como Brad se interese en ti.

Sam apretó los puños y los dientes. Había creído odiar a Blanche Milken y a Dave, pero se dio cuenta de que no había sabido lo que era el odio de verdad hasta que había conocido a Heather Lovelace.

Furiosa, tomó la tarta y fue al comedor.

El resto de la velada apenas habló. Solo podía pensar en una cosa: estaba dispuesta a hacer cualquier cosa para parar a la rubia.

Cualquier cosa.

# CAPÍTULO 9

**Q**UE VAS a hacer qué?

Sam se apartó el teléfono del oído ante el grito de su hermana Kristin.

El plan que había ideado la noche anterior le había parecido genial entonces, pero a la luz del día no parecía tan bueno.

Aun así, no tenía opción.

Cerró la puerta de la oficina para que Jeanette, que estaba atendiendo a una clienta en la tienda, no la oyera.

–Voy a poner a Brad en una situación comprometedora. Así, cuando Heather nos vea, tendrá que romper el compromiso –repitió.

–Me parece que necesitas unas vacaciones –dijo Kristin–. Unas vacaciones muy largas.

–¡Por Dios, Kristin! –exclamó Sam apretando el teléfono–. No hace tantos años te encantaba aparecer en el momento más inoportuno cuando llevaba a algún chico a casa. Creí que te encantaría la idea de volver a hacerlo.

–He crecido desde entonces.

–Por favor, Kristin. La boda es pasado mañana. Tenemos que evitar que se case con Heather.

–No sé por qué. A mí me parece una mujer encantadora.

–¡Kristin! Pero si te acabo de contar lo que me dijo ayer en casa de mamá. Es un diablo, te lo juro.

–Bien, bien. Eres mi hermana, así que supongo que no tengo más remedio que creerte.

–Gracias –contestó Sam secamente–. ¿Te ha quedado claro lo que tienes que hacer?

–Muy claro. Quieres que haga venir a Heather a la tienda esta noche a las diez y media aunque no sé cómo lo voy a hacer. ¿No podría ser más pronto?

–La señora Kennedy viene a las seis y media y ya sabes que suele pasarse aquí siglos. No creo que se vaya antes de las nueve o nueve y media. Dile que es para echarle un último vistazo al menú.

–¿A las diez de la noche? ¡Tendría que ser idiota para creerse algo así!

Sam suspiró impaciente. Kristin estaba más espesa de lo normal.

–Me importa un bledo lo que le digas, pero consigue que venga, ¿de acuerdo?

–De acuerdo –contestó su hermana.

–Gracias –se despidió Sam.

De verdad, qué obtusa podía llegar a ser Kristin cuando se lo proponía.

Marcó el número de Brad y sintió una punzada en el estómago cuando contestó.

«¿Me tengo que creer que lo único que te interesa de Brad, que es rico, sexy y guapo es su amistad?», recordó.

Apartó las palabras de Heather de su cabeza y habló.

–Hola, Brad. Soy Samantha. Tengo que hablar contigo. ¿Te podrías pasar esta noche a las diez por la tienda?

–¿A las diez?

–Sí, eh, es que tengo que hacer muchas cosas hoy y es el único rato que voy a tener libre –dijo sintiéndose como una tonta. ¿Tendría su hermana razón? ¿Sería aquello una locura?

–Muy bien –contestó Brad.

Y más tonta se sintió aquella noche esperando a que llegara. Se paseó por la tienda nerviosa mientras comprobaba que todo estuviera bien.

El cd de Celine Dion, el perfume y el vestido con mucho escote y muy pegado.

Se miró en el espejo por temor a haberse pasado. El vestido era color melocotón y parecía una segunda piel. Observó su pelo rizado, sus ojos verdes y su tez cubierta de pecas.

¿La encontraría Brad atractiva?

¿Y si no conseguía que la besara?

Tal vez, tendría que haberlo citado en un lugar más privado, como su casa, pero habría sido mucho más difícil hacer ir a Heather allí.

Eran casi las nueve y media cuando llamaron a la puerta. Extrañada fue a abrir y se encontró a Brad en vaqueros y camiseta.

Estaba… impresionante.

Sam tragó saliva al ver cómo la mirada de arriba abajo.

—Estás guapísima —sonrió.

—Llegas pronto —contestó nerviosa.

—Solo un par de minutos.

Sam miró el reloj y se dio cuenta de que se le había parado.

—Se le habrá acabado la pila —murmuró—. Tendré que cambiársela.

—¿Me vas a invitar a pasar? —preguntó Brad.

—Sí, claro, por supuesto —contestó Sam haciéndose a un lado y teniendo la sensación de que ya había vivido aquel momento.

Brad entró y Sam se preguntó de cuánto tiempo dispondría hasta que llegaran Heather y su hermana. ¿Por qué no habría puesto Jeanette un reloj en la tienda?

Tomó aire y se acercó a la mesa. Una vez allí, se quedó mirando una tela azul. No sabía qué hacer. ¿Cómo se seducía a un hombre prometido?

—¿De qué me querías hablar? —preguntó Brad.

Sam dio un respingo al darse cuenta de que lo tenía justo detrás.

—Eh… me preguntaba si… a Heather y a ti os iba bien.

—Nos va bien, sí, ¿por qué?

Sam lo miró de reojo. Lo tenía tan cerca que, si se diera la vuelta, le rozaría el pecho con el hombro. Olía a vaqueros, a algodón y un poco a… ¿sudor? No, era imposible. Brad nunca olía a sudor.

Brad era un hombre que se pasaba el día ante un ordenador. Debía de ser el calor, sí. Allí hacía un calor sofocante.

–¿No la has notado un poco rara últimamente?

–¿Rara?

Sam sintió su aliento en el cuello y se puso más nerviosa todavía.

–Sí, rara. ¿No te parece raro que organice una carrera para ayudar a las ratas de árbol de Hollywood? ¿No podría haber elegido algo mejor?

–Es una de las cosas que más me gustan de ella –contestó Brad–. Es tan buena y generosa que es capaz de ayudar a los animales más repugnantes, a los que nadie quiere. Por eso, no dudó en apoyar una causa que a muchos puede parecer horrible. Hay que ser muy valiente para hacer algo así.

–Puede que tengas razón –murmuró Sam maldiciendo la costumbre de su amigo de ver siempre lo bueno de la gente–. ¿Pero qué me dices de la boda? Dijo que no tenía muchos amigos, pero ha invitado a cientos de personas.

–No me parece raro. Tiene muchos compromisos profesionales. Lo que no tiene es amigas, ¿sabes? Por eso se ha esforzado por caerte bien.

«Si tú supieras», pensó Sam.

–Estoy preocupada por ti –confesó–. Me temo que Heather no sienta por ti lo mismo que tú por ella.

–Claro que sí –sonrió Brad–. Estoy seguro de ello.

–Brad... –dijo Sam dándose la vuelta–. Hay mujeres que mienten... que se casan con un hombre por su dinero.

–¿Ah, sí? ¿Tú harías eso?

–¡Claro que no! –contestó Sam indignada.

–Bien.

Sam dejó de mirarlo.

–Me temo que... Heather, sí.

–No, te equivocas. Heather tiene muy claro lo que quiere.

Que confiara en su prometida tan ciegamente irritaba sobremanera a Sam. ¿Cómo podía estar tan ciego?

–¿De verdad crees que la conoces bien?

–¿Me estás diciendo que no es así?

–Bueno... me ha dicho una serie de cosas que me han hecho pensar que podrías tener problemas.

–¿Qué problemas? –preguntó Brad con el ceño fruncido.

Sam intentó pensar en algo que lo ofendiera.

–Sexuales.

–¿Sexuales?

–Sí, me dijo que besabas muy mal.

Brad se dio la vuelta y no dijo nada. Sam supuso que estaba dolido.

–Sé que es un tema un poco delicado –dijo al cabo de un rato–, pero me pareció que debías saberlo.

Brad se dio la vuelta y la miró de un modo que Sam no pudo descifrar.

–Sí, tienes razón, debo saberlo. Te creo porque sé que jamás me mentirías en algo así.

Sam evitó su mirada y se movió incómoda.

–No.

–Solo se me ocurre una solución –apuntó Brad.

–¿Sí? –dijo Sam esperanzada.

¿Iba a aplazar la boda por lo menos?

–Me voy a tener que buscar a alguien que me enseñe a besar –contestó Brad–. ¿Te importaría ser tú?

–¿Cómo? ¡Estarás de broma! –contestó Sam.

–Sé que es difícil porque no me siento atraído en absoluto por ti, pero aunque me resulte desagradable debo hacerlo por Heather.

Sam frunció el ceño. ¿Cómo que besarla iba a resultarle desagradable? ¿Iba de mártir? Cuando le iba a decir que no lo besaría aunque fuera una mezcla de Brad Pitt, Ewan McGregor y Ben Affleck, se acordó de su plan.

Tenía que conseguir que la besara, ¿no? No podía permitir que su orgullo truncara el éxito.

–¿Sam? ¿Estás dispuesta a ayudarme?

Sam dudó. No esperaba que todo fuera tan fácil. Había creído que Brad iba a oponerse o algo. ¿No se sentía culpable por besar a otra mujer que no fuera su prometida? Claro que, como no sentía nada por ella, ¿por qué se iba a sentir culpable?

Lo miró. Estaba muy serio. Deslizó la mirada hasta sus labios. Tenía una boca muy bonita, carnosa y…

Al sentir la mano de Brad en el hombro, dio un respingo.

–¿Qué te pasa?

–Nada –contestó Sam sintiendo su pulgar en el cuello–. ¿Qué hora es?

–Las diez y veinte. ¿Por qué?

–No, por nada.

Diez minutos. ¿Sería demasiado pronto? ¿Podría conseguir que la besara durante diez minutos? Tomó aire, ladeó la cabeza y cerró los ojos.

–Está bien, adelante. Bésame.

Brad no dijo nada y tampoco la besó.

Sam abrió los ojos.

–¿Pasa algo? –le preguntó.

–No, nada –contestó Brad.

Pero no había hecho el más mínimo movimiento que indicara que la iba a besar.

¡Oh, no! Al final, debía de haberse sentido culpable. Por miedo a que se echara atrás, Sam le pasó los brazos por el cuello y lo besó.

Sintió cómo se tensaba. Le agarró las muñecas y Sam temió que se fuera a apartar, pero lo que Brad hizo fue deslizar sus manos por sus brazos hasta llegar a su espalda y bajarlas hasta sus caderas.

Sam vio fuegos artificiales a pesar de que tenía los ojos cerrados. Brad siguió besándola, cada vez más profundamente, como un hombre sediento y los fuegos cada vez tenían más colores.

Y se encontró abrazada a él deseando que aquel beso no terminara jamás.

–¿Qué tal? –preguntó Brad despegando sus labios de su boca ligeramente.

–Eh… bien –consiguió contestar Sam.

–Venga, Sammy, tienes que ser sincera. ¿Crees que debería hacer algo más? –dijo Brad besándola en la mejilla y en la oreja–. ¿Debería decirle algo? ¿Qué tal que huele de maravilla y que sabe mejor? ¿Qué te parece que me mareo cada vez que la abrazo y que el mundo me da vueltas cuando la beso?

–Supongo que… eso está bien, sí –contestó Sam sintiendo un reguero de lava por el cuerpo.

–Le podría decir que pienso en ella día y noche, que verla me hace sudar, que con solo oír su voz la deseo, que me la imagino en mi cama, que me muero por tocarla…

Al decir aquello, deslizó las manos de forma sensual hasta sus nalgas.

–Que quiero que sienta cómo me pone –añadió.

Desde luego, Sam lo estaba sintiendo y solo deseaba ser un poco más alta para sentirlo entre las piernas y no en la tripa.

–Dime qué hago ahora –murmuró–. Dime qué te gustaría que hiciera…

Involuntariamente, Sam se apretó contra él y le hizo jadear.

–Sammy…

Sam detectó cierta duda en su voz. Se iba a apartar de ella. Sintió miedo, así que arqueó la espalda y apretó sus pechos contra su torso.

–Sammy… –repitió tomándola con fuerza de la cintura–. Al diablo –dijo besándola de nuevo.

La sentó sobre la mesa y se colocó entre sus piernas. Acto seguido, se apretó contra ella haciéndola notar su erección exactamente donde Sam quería.

–Dios, Sammy, se me había olvidado cómo me vuelves de loco –dijo mordiéndole el cuello–. Dime qué quieres que haga. ¿Debería tocarte? –añadió acariciándole un pecho con una mano y deslizando la otra entre sus piernas–. Quiero besarte los pezones, la tripa y los muslos. Te deseo. Te he deseado siempre…

Sam sintió sus dedos entre las piernas y tomó aire.

–Brad… yo… eh

Debía decir algo, pero no podía pensar. No quería hacerlo. Solo quería que Brad siguiera haciendo lo que estaba haciendo. Quería que el placer siguiera y siguiera…

Gritó, se estremeció, sintió oleadas de placer por el cuerpo y se apoyó en él sorprendida. No se lo podía creer. No se había dado cuenta de que… ¿Quién iba a pensar que Brad le podía dar tanto placer? Brad, su querido amigo…

Su amigo.

¡Dios mío!

–Shh, no pasa nada –la tranquilizó Brad al sentir que se tensaba–. Todo va bien.

–¡De eso nada! –contestó ella–. ¡Suéltame!

Brad hizo todo lo contrario.

–¿Qué te pasa? ¿No te gusta? –le preguntó.

¿Gustarle? ¡Le encantaba!

–¿Qué te pasa, Sammy?

–Nada… ¿Qué hora es?

–¿Y eso a quién le importa?

–¡A mí! ¿Qué hora es?

–Las once menos cuarto. ¿Por qué?

Las once menos cuarto. ¿Dónde diablos se había metido Kristin?

–Por nada –contestó temblando.

¿Qué le había pasado? No era la primera vez que la besaban, pero en las demás ocasiones siempre había habido una parte de su cerebro que se había mantenido alerta para cortar en cuanto la situación se caldeara demasiado.

Sin embargo, con Brad no había sido así. Había perdido el control por completo. Si él hubiera querido acostarse con ella allí mismo, sobre la mesa, Sam lo habría hecho encantada.

¿Qué le había pasado?

Se bajó de la mesa y se alisó el vestido.

–Creo que será mejor que te vayas –le dijo.

–Sammy… –dijo Brad yendo hacia ella–. Todo va bien. No te enfades. Se me ha ido un poco de las manos, pero…

–¿Un poco? –dijo Sam cruzándose de brazos–. Lo que ha pasado no ha estado bien.

–¿Ah, no?

Sam lo miró a los ojos y vio pasión. Desvió la mirada inmediatamente. ¿Qué había pasado? ¿Cómo había podido dejarse llevar así? ¿Qué habría pasado si no hubieran pasado? ¿Pero Brad no estaba enamorado de Heather?

Heather…

–No estás enamorado de Heather, ¿verdad?

–le preguntó poniéndole la mano en el brazo–. Es imposible que la quieras. Si fuera así, no me habrías besado como lo has hecho. No te puedes casar con ella. Me alegro de que esto haya pasado. Mejor que te hayas dado cuenta ahora que una vez casado. No te preocupes, ya encontrarás a otra mujer.

–¿Ah, sí? ¿A quién?

–No lo sé… a alguien que te quiera de verdad. Heather no te quiere y nunca te ha querido.

Brad la miró con… ¿incredulidad? ¿decepción? ¿rabia?

–Olvídate de Heather. Vamos a hablar de ti y de lo que has sentido ahora mismo porque has sentido algo, ¿verdad, Sam?

–Yo… eh…

–Venga, admítelo. Por una vez en tu vida, admite la verdad.

–No sé de qué me hablas –dijo Sam dando un paso atrás.

–Claro que lo sabes –insistió Brad yendo tras ella–. Admítelo, Sam. Admite que hay una atracción entre nosotros, que siempre la ha habido, pero que no has querido ir más allá por miedo. Te fuiste a Nueva York y a Europa por eso.

–Estás loco –murmuró Sam–. No había nada entre nosotros.

–¿Ah, no? ¿Y entonces por qué te fuiste sin despedirte?

–Porque no estabas en casa, estabas en un viaje de negocios y fue una decisión repentina.

–Ya, claro, por eso llevabas un mes dando respingos cada vez que te tocaba y sonrojándote cada vez que te miraba...

–No sé de qué me hablas. Debieron de ser imaginaciones tuyas. Solo éramos amigos.

Brad dio un paso atrás y se metió las manos en los bolsillos.

–Muy bien, si eso es lo que quieres, fueron imaginaciones mías. Igual que lo que ha pasado hoy han sido imaginaciones tuyas. Yo solo estaba intentando mejorar mi forma de besar por el bien de Heather. Lo que ha pasado entre nosotros ha significado tan poco para mí como para ti. Para ti no ha significado nada, ¿verdad?

–Eh... no, claro que no –contestó Sam.

No había significado nada, ¿verdad? Brad era su amigo, pero ya no lo parecía. Todo había cambiado. Él había cambiado. ¿Dónde demonios había aprendido a besar así? ¿Y a tocar así?

¿Y por qué la estaba mirando como si la quisiera matar, como si la odiara?

Sam sintió que se le hacía un nudo en la garganta.

–Bien –sonrió Brad con frialdad–. Entonces, me voy.

Sam lo vio ir hacia la puerta. Se sentía confusa y perdida. Solo sabía una cosa, que Brad se iba y que si no hacía nada por impedirlo lo iba a perder para siempre.

–Brad –dijo yendo hacia él.

Brad abrió la puerta y salió.

–Brad –repitió Sam–. Espera.

Brad se paró en seco y Sam creyó que era por ella, pero al salir descubrió que era porque Heather y Kristin estaban allí.

La hermana de Sam la miró con los ojos muy abiertos y Heather puso cara de melodrama.

–Oh, Brad, ¿cómo has podido hacerme esto?

# CAPÍTULO 10

LO RELACIONADO con el antimonopolio ya está todo hecho y el informe final estará para hoy. Podemos empezar con los pagos la semana que viene –dijo George Yorita abriendo la carpeta que tenía en la mano–. Lewis ha calculado lo que le corresponde exactamente a cada empleado y la cantidad media es de cincuenta y ocho mil dólares por persona y… por Dios, Brad, ¿qué demonios te pasa?

Brad dejó de mirar por la ventana y se giró hacia su socio.

–Nada, no me pasa nada.

–Venga ya, a mí no me engañas. Es la tercera vez que entro en tu despacho hoy y no le has sacado brillo al trofeo ni una sola vez. A ti te pasa algo. ¿Es por tu prometida?

–No, no es por Heather –contestó Brad–. Sé lo que estoy haciendo –le aseguró.

–Ya –dijo George yendo hacia la puerta–. ¿Sabes? Si le dijeras lo que sientes por ella, tal vez funcionaría.

Cuando George salió, Brad suspiró. Respetaba y quería a su amigo, pero en aquella ocasión George se equivocaba por completo.

Brad volvió a mirar por la ventana.

Recordó la noche anterior, cuando había entrado en la tienda y había visto a Sam con aquel vestido, oliendo tan bien... Inmediatamente, se había dado cuenta de que iba a tener problemas.

Como un tonto, había ignorado la alarma que había sonado en su cabeza, se había dicho que podía controlar la situación y, por supuesto, no había sido así.

Sabía que no debía besarla, pero no había sido capaz de resistirse. Había querido besarla desde los diecisiete años y, por fin, tenía la oportunidad. ¿Cómo no iba a aprovecharla?

Recordaba el día en el que se habían conocido como si fuera ayer. Estaba a punto de mandar a cierto sitio al cretino de Pete Mitchell cuando apareció una coleta y le había gritado a su contrincante que le dejara en paz o que le iba a contar a su madre qué había sido de su preciada colección de frasquitos de perfume.

Pete se había ido a regañadientes y, justo cuando Brad se disponía a decirle a aquella niña que se fuera a casa a jugar con sus muñecas, ella se había girado y le había sonreído.

En ese momento, Brad sintió una punzada en el corazón. Qué guapa era. Tenía los ojos verdes, la piel pálida y pecas. Los rizos casi le llegaban a los hombros y su uniforme de animadora revelaba unas piernas largas y bonitas y unos pechos con muy buena pinta.

Tenía diecisiete años y, con la revolución hormonal, se había excitado. Por suerte, había conseguido disimularlo. Aquella niña era muy pequeña para él.

Cuando se enteró de que tenía catorce años, decidió que, definitivamente, era muy pequeña para él, así que decidió ignorarla, pero la mica era insistente. Se pasaba a buscarlo a su casilla, se sentaba con él en la cafetería a la hora de comer, se le pegaba al volver a casa andando.

En uno de esos paseos le había hecho sonreír por primera vez desde que sus padres y su hermana habían muerto.

Había bajado tanto la guardia con ella que un día se encontró hablándole de Molly. Era su hermana pequeña, le llevaba seis años y era un incordio. La solía soportar como podía, pero una mañana, tras una noche en vela estudiando para un examen de cálculo, se había hartado y le había dicho que lo dejara en paz.

Unas horas después, en mitad del examen, el director había entrado en su clase con lágrimas en los ojos y le había dicho que lo acompañara.

No había llorado entonces y no lloró cuando se lo contó a Samantha aunque ella sí lo hizo y por los dos. Sin embargo, al llegar a casa de su abuela aquella noche, se había acostado y notó el nudo que llevaba seis meses en su pecho se había hecho más grande.

De repente, las lágrimas brotaron de sus ojos a borbotones y, tras un buen rato llorando, se quedó dormido con más facilidad de lo normal.

Se despertó sintiéndose un poquito mejor y desesperadamente enamorado de Sammy.

Intentó convencerse de que le recordaba a su hermana pequeña y que la tenía que tratar como tal, pero en lo más hondo de su corazón sabía que lo que estaba haciendo era esperar a que creciera para casarse con ella.

Las cosas no habían salido como él quería. En los años siguientes, sus padres se divorciaron, su hermana mayor se casó a toda prisa y su padre murió. Aquella combinación de acontecimientos no le benefició lo más mínimo pues Sam se convirtió en una joven a la que los hombres daban miedo.

De hecho, cambiaba de novio como de camisa. Dejaba a todos los que querían algo serio con ella, así que Brad decidió que si él intentaba algo iba a correr la misma suerte.

Tenía que tener paciencia. Al final, Sam terminaría por vencer sus temores y entonces habría una oportunidad para ellos.

Sin embargo, para su frustración, seguía encantada con ser solo su amiga y seguía teniendo novios aquí y allá a los que dejaba en cuanto la sombra del sexo aparecía entre ellos.

Brad había esperado, pero llegó un momento en el que ya no pudo esperar más, así que puso en marcha un plan para romper las barreras. Con un abrazo aquí y una caricia allá consiguió que Sam se fijara en él de otra manera.

Las cosas iban bien. Tan bien que Brad compró una casa y se la enseñó. Vio en sus ojos que le había gustado mucho. Tanto que pocos días después Sam se fue a Nueva York.

Entonces, Brad decidió olvidarse de ella y seguir su vida. Había montado una empresa próspera, había conocido a otras mujeres y se había convencido de que lo había superado, de que ya no la quería.

Claro. Ya no la quería. No, qué va.

La noche anterior, Sam lo había besado como él siempre había soñado que hiciera. Besarla y tocarla había sido una experiencia impresionante, pero lo que había sucedido a continuación había sido horrible.

Sus palabras no podrían haber sido más insultantes ni desagradables. Menos mal que Heather había aparecido. Brad le había explicado lo sucedido creyendo que le iba a mandar a paseo, pero para su sorpresa no había sido así.

Heather había insistido en que lo entendía. Era realmente una mujer sorprendente, buena y comprensiva. Lo que más le había gustado había sido ver la cara de Sam cuando le había visto alejarse de la mano de Heather.

Pero aquella satisfacción le había durado poco.

Brad, mirando por la ventana, se dijo que tenía que dejar de creer que en la vida se podía tener todo. Él mejor que nadie debía saberlo. Había accidentes de tráfico, la gente moría y no se podía hacer que una mujer lo amara a uno por mucho que él la quisiera.

Se sentó en su butaca y se dijo que ya iba siendo hora de que se enfrentara a la realidad. Sam no lo iba a amar jamás.

Sonó el teléfono.

–Samantha Gillespie por la línea tres –le dijo su secretaria–. ¿Se la paso?

«Ya encontrarás a otra mujer», recordó.

–No, dígale que estoy ocupado –contestó Brad.

Colgó y se puso a mirar el informe que le había pasado George. Las cifras le parecían adecuadas. Lewis había hecho un buen trabajo y su socio, también.

Volvió a sonar el teléfono.

–Lo siento –dijo Marilyn–, pero la señorita Gillespie ha dejado un mensaje. Ha dicho que tiene que hablar con usted y que se reúna con ella en el restaurante de enfrente a la hora de comer. Ha dicho que estará esperándolo.

¿Qué diablos querría?

–Llámela y dígale que no puedo ir –contestó Brad–. No, déjelo, ya la llamo yo.

Tras colgar, se quedó mirando el trofeo que tenía sobre la mesa. Marcó un número y esperó a que contestaran mientras le sacaba brillo.

–¿Sí?

–Hola, Heather, ¿me podrías hacer un favor?


Sam estaba sentada en una mesa del restaurante con un refresco. No paraba de mirar la hora. Eran casi las doce y media y ella llevaba allí desde las once y media.

¿Dónde se habría metido Brad?

No podía dejarla plantada. Necesitaba hablar con él, saber qué había pasado en la tienda.

Aquel beso la había removido hasta los cimientos y, para colmo, el comportamiento de Brad había sido imprevisible. Se había enfadado y la había acusado de… ¿de qué exactamente?

No lo sabía, pero lo que sí sabía era que eran amigos y que no quería que aquello cambiara. Si las cosas cambiaban, la nueva situación sería impredecible y, por lo tanto, le daba miedo.

Brad había sido la única constante en su vida durante los últimos diez años, el claro al que se había agarrado cuando el mundo se le había caído encima. No quería que aquello cambiara y aun así… aun así…

No podía dejar de recordar cómo la había besado. ¡Y cómo la había tocado! Ojalá hubiera podido hablar con él, pero no había podido ser porque había aparecido Heather y le había importado un bledo que su prometido se hubiera estado besando con otra mujer.

Por supuesto, había llorado e hipado durante un buen rato, pero Brad se había asegurado de consolarla y de prometerle que no volvería a ocurrir.

Sam había sentido deseos de gritarle que era tonto. ¿No se daba cuenta de que Heather solo quería su dinero? ¿No se había dado cuenta de la facilidad con la que había dejado de llorar cuando le había dicho que Sam no significaba nada para él, que solo era como su hermana pequeña, su amiga?

Sam frunció el ceño. Ella se había dicho lo mismo a sí misma muchas veces. ¿Por qué, entonces, oírlo de labios de Brad le había hecho tanto daño? Se sentía traicionada, como si Brad le hubiera clavado una daga en el corazón.

Se había intentando convencer de que todo era fruto de la preocupación que sentía por su amigo, pero no era cierto. Algo había cambiado entre ellos.

Lo que sentía por él era diferente. Estaba hecha un lío y necesitaba hablar con él. Necesitaba saber, preguntarle si él también sentía algo…

–¿Esperas a alguien?

Sam levantó la cabeza y vio horrorizada quién era.

¡Heather! Llevaba un pantalón dorado, una chaqueta de generoso escote y un collar de diamantes. Estaba increíble.

–¿Te importa que me siente? –le dijo haciéndolo.

–Eh, la verdad es que estoy esperando… a alguien –contestó Sam.

–Sí, lo sé. Brad me ha llamado para contarme que has suplicado verlo. Tiene una reunión y no ha podido venir, así que me ha enviado a mí –dijo llamando al camarero–. Pizza tailandesa de pollo, ensalada y té con hielo –pidió.

–Yo solo una limonada –dijo Sam.

Saber que Brad le había contado a Heather lo de su llamada le había quitado el hambre. De hecho, sentía náuseas.

–Gracias por venir a decírmelo –dijo dejando

un billete sobre la mesa–. Esto es para la limonada...

–No huyas –dijo Heather–. Quiero hablar contigo.

–¿De qué?

–No te hagas la inocente –dijo la rubia encendiéndose un cigarrillo a pesar de que estaba prohibido fumar allí–. Quiero saber qué te propones.

Sam se quedó mirando el vaso de limonada.

–No sé a qué te refieres.

Heather se acodó en la mesa y se echó hacia delante.

–Mira, a mí no me engañas. Lo deseas, ¿verdad? Anoche, querías acostarte con él, ¿eh?

–¡No! –contestó Sam enrojeciendo.

–Venga, por favor. ¿Te crees que no se ve a una mujer en celo cuando la tengo delante? No se te puede notar más.

Sam tragó limonada.

–Te equivocas.

–Nunca me equivoco a la hora de valorar a mis competidoras aunque lo cierto es que tú has sido más una ayuda que un obstáculo, ¿sabes? Brad se siente tan culpable por lo de anoche que mira lo que me ha regalado –dijo tocándose el collar de brillantes–. Por mí, cuando quieras compartir cama con él puedes hacerlo.

Sam hizo una bola con la servilleta. Aquella actriz era la peor persona que había conocido en su vida. Brad se merecía a alguien mucho mejor, a alguien que lo quisiera, lo entendiera y lo cuidara...

–Hay algo que deberías saber –dijo Sam esperando a que el camarero dejara la comida de Heather.

No se le ocurría nada, pero debía hacer algo para que aquella rubia peligrosa no le arruinara la vida a su amigo.

–¿Me decías que me tenías que decir algo?

–Sí, eh… Brad ronca –improvisó.

–Estupendo, la excusa perfecta para tener habitaciones separadas –sonrió Heather.

–Eso no es todo –añadió Sam–. ¡Le encanta vestirse con ropa femenina!

–¿Y? –bostezó Heather.

–Y nada, pero supongo que habrá gente a la que no le parezca bien.

–A mí no me parece ni bien ni mal, pero soy actriz y estoy acostumbrada a tratar con todo tipo de excentricidades.

–Me alegro, pero… hay otra cosa.

–¿Qué?

–Es… es eyaculador precoz.

Por primera vez, Heather pareció preocuparse.

–Bueno, ya me las apañaré… quiero decir, conmigo no ha tenido ese problema.

–¿Qué quieres decir? Brad me había dicho que vosotros no…

–¿Te ha dicho eso? Es tan chapado a la antigua que lo habrá hecho para hacerme parecer una santa, pero la verdad es que llevamos un mes acostándonos y es un genio en la cama.

Sam sintió más náuseas. Se habían acostado. Sintió ganas de llorar.

Heather se rio.

–Incluso se creyó que era virgen. Así conseguí que me pidiera que me casara con él.

Sam dejó de tener ganas de llorar y pasó a desear arañarle la cara a Heather y a dejarla calva.

–Entonces, espero que no te importe saber que anoche Brad y yo hicimos el amor.

Heather enarcó las cejas.

–No te pongas más en ridículo, por favor. Si Brad quiere tener a una fresca por ahí, yo no voy a decir nada.

¡Una fresca! Sam agarró el vaso de limonada con fuerza y estuvo a punto de tirárselo a Heather a la cara.

–Mira, Samantha, ¿por qué no nos dejamos de tonterías? ¿Por qué no admites de una vez que quieres quedarte con Brad?

–Porque no es cierto.

–Por mí, puedes seguir mintiendo, me da igual. Además, aunque una vez le gustaste, de eso ya hace mucho.

–¿Le gustaba yo?

–No me digas que no lo sabías, pero ahora ya es agua pasada. Ahora, me quiere a mí. Aunque le digas que estás enamorada de él no podrás hacer nada.

¿Enamorada de él? Ella no estaba enamorada de Brad.

–Brad y yo solo somos amigos.

–Sí, claro. Venga, hombre, admítelo. Admite que estás enamorada de él.

Sam miró a la rubia. No podía hablar. Recordó las palabras de Brad, tan parecidas a las de Heather.

«Admítelo. Por una vez en tu vida, admite la verdad».

Sam sintió pánico.

—Perdone —dijo una voz masculina.

Sam levantó la mirada y se encontró con un hombre moreno que, por supuesto, no la miraba a ella sino a Heather.

La rubia estaba pálida como la pared. Sam nunca la había visto así.

—¿Podría acompañarme, señorita Lovelace? Tenemos que hablar.

—No, estoy ocupada —contestó Heather.

—Sabe que tiene que hablar conmigo aunque no tengo ningún inconveniente en hablar delante de su amiga si lo prefiere.

Heather estaba aterrorizada.

A pesar de lo mucho que la odiaba, Sam sintió pena.

—Por favor, váyase o llamo al encargado —le dijo al hombre.

Él la miró con ojos fríos como el acero.

—¿Heather? —dijo.

La rubia consiguió sonreír.

—Lo siento, Samantha, pero tendremos que seguir hablando en otro momento —dijo.

Sam observó con el ceño fruncido cómo Heather se iba con aquel desconocido. ¿Quién sería? ¿Y por qué estaba tan enfadado?

Sam se levantó y miró por la ventana. Vio al hombre haciendo aspavientos y gritando. Salió con cuidado y se acercó a ellos. Se escondió detrás de una palmera y decidió que, si el hombre le hacía algo a Heather, se pondría a gritar.

–¿Por qué no te metes en tus asuntos? –le dijo Heather al hombre.

Sam se sorprendió. Nunca había oído a Heather hablar con tanta pasión.

–Es asunto mío. Esto podría afectar a tu trabajo.

–¿Solo te importa mi trabajo?

–Vas a tener que tener cuidado con el embarazo. Hablaré con el director –dijo el hombre.

–Solo estoy de un mes, idiota. No afectará a mi trabajo hasta dentro de varios meses.

Sam se quedó de piedra.

¿Heather estaba embarazada?

# CAPÍTULO 11

AQUELLA noche, Sam estaba planchando su vestido de dama de honor en el salón de su casa intentando desesperadamente no llorar.

Brad se casaba al día siguiente y no podía hacer nada para impedirlo.

Se había pasado toda la tarde intentando encontrar una solución. Incluso se le había pasado por la cabeza proponerse como madre adoptiva del bebé, pero lo que le había oído decir a Heather le había dejado claro que la rubia jamás aceptaría aquello.

—¿Se lo has dicho a Rivers? —le había preguntado el desconocido.

—Todavía, no. Se lo voy a decir la noche de bodas. Va a estar encantado. Él quiere tener hijos.

—¿Tanto como tú? —se había burlado el desconocido.

—No te rías, aunque no es un hijo deseado voy a intentar ser una buena madre para él.

—¿Pretendes que me crea que te importa más un hijo que tu carrera?

—No me importa lo que creas —había contestado Heather con decisión–. Da igual lo que haya dicho en el pasado. Me he dado cuenta de que en esta vida hay cosas más importantes que el trabajo.

Luego se habían ido dejando a Sam con su dolor. ¡Heather estaba embarazada de Brad! Y aquello parecía haberle hecho plantearse su vida. Había dicho que iba a intentar ser buena madre y que ya no le preocupaba tanto su éxito profesional.

Sam sabía que tenía que mantenerse al margen. No sería justo para el niño intentar romper la relación de sus padres.

Apretó la plancha. Tenía que dejar de intentar romper su compromiso. Si de verdad era amiga de Brad eso era lo que tenía que hacer.

Aunque lo cierto era que ya no quería ser su amiga. No, porque durante la comida se había dado, por fin, cuenta de la verdad.

Estaba enamorada de él.

Estaba enamorada de Brad desde hacía mucho tiempo, pero no había querido admitírselo a sí misma por miedo a sufrir. Había visto lo que había pasado entre sus padres y lo mal que le iba a su hermana con su marido y sabía que el amor se podía tornar odio y no quería que le pasara algo así con Brad.

¿Y qué sentiría él? ¿De verdad era capaz de besarla y de tocarla como la noche anterior y solo ser su amigo? ¿Por qué insistía tanto para que admitiera la verdad? Tenía que ser porque sentía algo por ella.

Si Heather no estuviera embarazada, lo averiguaría.

Pero Heather estaba embarazada.

Sam sintió náuseas. Ya era demasiado tarde. Quería a Brad, pero él debía casarse con Heather.

Llamaron a la puerta y Sam miró el reloj. Casi las nueve. ¿Quién sería? Seguramente, una de sus hermanas. No le apetecía hablar con nadie. Se sentía fatal.

Volvieron a llamar.

—¿Sammy, estás ahí?

Sam dejó la plancha. ¿Brad?

Se acercó a la puerta y se abrochó bien el cinturón de la bata. Miró por la mirilla y vio que, efectivamente, era Brad.

—¿Qué haces aquí? —le dijo abriendo una rendija.

—Déjame pasar —le ordenó él.

Sam obedeció confusa.

Una vez dentro, Brad se giró y se quedó mirándola.

Sam sintió que se derretía, así que volvió a la tabla de planchar.

—¿Qué haces? No deberías estar aquí —le dijo.

—Ya lo sé, pero… —se pasó los dedos por el pelo—. Heather me dijo que creía que… Has comido con ella hoy, ¿no?

—Me sorprendió mucho que viniera ella en vez de ti —contestó Sam sinceramente planchando el vestido.

—Lo siento. Es que estaba enfadado por lo de anoche.

–Yo también lo siento. Fue culpa mía.

–No, no lo fue. Fue culpa mía. Sabía que… Nunca debía perder el control…

–Por favor, Brad –dijo Sam dejando la plancha e intentando sonreír–. Vamos a hacer como si jamás hubiera sucedido, ¿de acuerdo? No podemos dejar que eso te estropee la boda.

–¿La boda? Sí, bueno, he estado pensándolo y creo que la voy a retrasar.

–No, Brad, no puedes hacer eso. Heather cuenta contigo.

–Sam, tenemos que hablar –dijo acercándose a ella y tomándola del brazo–. No era mi intención que esto llegara tan lejos. No estoy enamorado de Heather.

¿No estaba enamorado de Heather? Qué maravilla. Durante unos segundos, Sam sintió que flotaba, pero de repente la verdad la hizo volver a la tierra.

Heather y su bebé. ¿Cómo podía haberlo olvidado?

–Brad, te estás confundiendo –lo interrumpió apartándose de él–. No sabes lo que dices. Claro que estás enamorado de Heather.

–No, no lo estoy.

–Pero si es una mujer preciosa…

–Sí, lo es, pero, ¿tú crees que es la mujer indicada para mí?

Sam quería gritar que no con todas sus fuerzas, pero sonrió valiente y mintió.

–Sí, Brad, creo que es perfecta para ti.

–¿Sí? –dijo él sorprendido.

–¡Sí! ¡Claro que sí! Es muy guapa y le gustan los animales. ¿Qué más podrías pedir?

–¿Qué más podría pedir? –repitió Brad mirándola como si fuera una desconocida–. ¿De qué habéis hablado hoy en el restaurante?

–De nada importante. Simplemente le he dicho que entre tú y yo no había pasado nada.

–¿Que no había pasado nada? –dijo Brad con sarcasmo–. ¿El beso de ayer no fue nada? ¿Y por eso te estremeciste cuando mis dedos tocaron tu interior?

–Brad, por favor… –dijo Sam enrojeciendo como si se hubiera puesto la plancha en la cara.

–¿Brad por favor qué? –dijo tomándola de los hombros–. Lo de anoche me encantó y a ti también, ¿verdad?

–No –tartamudeó Sam.

–Heather me ha dicho que… me quieres.

Sam se quedó helada. No podía hablar.

–No puedo dejar de pensar en lo de anoche –continuó Brad–. No quería dejar de besarte y de tocarte. De hecho, lo que quería hacer era tumbarte sobre la mesa y hacerte el amor.

–Brad…

–Sí, Sam, dime lo que tú quieres. Dime la verdad. Dime que me deseas tanto como yo te deseo a ti…

¡Ay madre! Qué difícil era mentir oyendo aquello, pero debía hacerlo. Por Heather y por el niño.

Haciendo un esfuerzo sobrehumano se apartó de él.

–Claro que te quiero, pero como amigo.

–¿Como amigo? ¿Solo como amigo?

Con el corazón roto, Sam asintió.

–Estás mintiendo –explotó Brad furioso–. Anoche estuvimos a punto de acostarnos. Heather tenía razón. No me habrías dejado ir tan lejos si no hubieras sentido algo por mí.

–¿Has hablado de esto con ella?

–Sí, hemos discutido y le he dicho que tenía dudas sobre casarme con ella…

–¡No! ¡Tienes que casarte con ella!

–¿Tengo?

Sam se mordió la lengua. Se moría por decirle que lo quería, que Heather estaba embarazada y que debía casarse con ella por el bien del niño, pero hacerlo sería egoísta. Brad debía casarse con la conciencia tranquila y el corazón entregado.

Consiguió encogerse de hombros.

–Haz lo que quieras. A mí me da igual. Yo tengo mi vida. De hecho, la semana que viene empiezo las clases…

–¿Te vas al instituto de diseño?

–Sí –contestó bajando la mirada–. Gracias por hablar con tu amigo. Me ha dicho que es una profesión muy dura y que voy a estar muy ocupada, así que no voy a tener tiempo para nada…

–¿Ni siquiera para el amor?

Sam sintió ganas de llorar, pero consiguió controlarse. Si se ponía a llorar, Brad la abrazaría y, entonces, estaría perdida. Se iría abajo y le contaría la verdad.

–Lo último que quiero es un hombre –rio–. Gracias a ti sé, por fin, lo que quiero hacer con mi vida y me voy a entregar a fondo a mi trabajo.

–Entiendo –dijo Brad con tristeza–. Es obvio que sabes muy bien lo que quieres, así que me voy. No te hago perder más el tiempo…

–¡Espera! –le gritó cuando él estaba ya en la puerta.

–¿Qué?

–¿Te vas a casar mañana con Heather?

Brad se quedó mirándola fijamente.

–Sí. ¿Estás contenta?

–Sí…

–Muy bien, entonces –dijo Brad abriendo la puerta y yéndose.

Cuando la cerró, Sam comenzó a llorar.


Sam llegó tarde el Templo de la Paz y la Tranquilidad. El edificio de mármol blanco estaba situado en un acantilado sobre el Pacífico y había brisa aunque hacía sol.

Menos mal porque así tenía excusa para llevar gafas de sol que ocultaran sus ojos enrojecidos de tanto llorar.

Avanzó por el césped buscando a Brad con la mirada, pero no lo veía. Había mucha gente, pero él no estaba por ningún sitio.

–¡Por fin! –exclamó Jeanette apareciendo de la nada–. ¿No eres capaz de llegar a tu hora jamás? –la reprendió–. Por Dios, Sam, eres la dama de honor. Tienes que estar con Heather.

–Lo siento.

–¿Estás bien?

–Sí, sí –consiguió sonreír.

–Samantha… ¿estás enamorada de Brad? –le preguntó su hermana tras dudar unos segundos.

–Claro que no –rio Sam de forma forzada.

–Lo digo porque como querías romper el compromiso como fuera…

–Estaba preocupada por él, pero me he dado cuenta de que estaba equivocada con respecto a Heather –le explicó con un nudo en la garganta–. Quiero que Brad se case con ella.

Jeanette parecía aliviada.

–Bien porque la ceremonia empieza en un cuarto de hora. Ve para la capilla. Mis niños ya están allí… Por cierto, si llegas tarde, empezaremos sin ti –le prometió Jeanette alejándose.

Sam deseó que así fuera. Fue hacia el templo, donde las sillas estaban colocadas y las flores en su sitio. Allí estaban sus tres sobrinos, pero cuando los iba a llamar vio a Brad.

Llevaba un esmoquin que realzaba su belleza masculina. Estaba increíblemente… sexy. ¿Cómo podía haber ignorado tanta sensualidad durante tanto tiempo? Ojalá pudiera ir hasta él y decirle la verdad, que lo amaba y…

En ese momento, Brad levantó la mirada y la vio. Apretó los dientes y miró hacia otro sitio.

Sam sintió que las lágrimas le resbalaban por las mejillas, así que se alejó del templo en dirección a unos árboles. Una vez allí, se quitó las gafas y se limpió las lágrimas con el pañuelo.

Oyó un ruido entre los matorrales y vio a Heather con el desconocido del día anterior. El hombre abrazó a la rubia y la besó.

Sam estaba a punto de lanzarse contra él cuando se dio cuenta de que Heather lo besaba también. ¡Y con entusiasmo!

–Para, Joel, no puedo… Brad…

–No te puedes casar con él –dijo el hombre–. Sobre todo, porque llevas a mi hijo en tus entrañas.

Sam ahogó un grito. ¿El bebé era de Joel?

–¿Y qué otra cosa puedo hacer? –dijo Heather con voz temblorosa–. Tú me has dejado muy claro que no te vas a casar conmigo.

–Eso no es justo…

–Tienes cinco minutos para decidirte –dijo Heather corriendo hacia el templo.

Joel fue tras ella, pero Sam ni los vio.

¿El niño era de Joel? Heather debía de haber mantenido una relación paralela con él mientras estaba con Brad. ¡Brad! No podía dejar que se casara con ella.

La rubia lo había estado engañando. Bruja.

De repente, oyó los acordes de la marcha nupcial.

Sam se arremangó el vestido y corrió hacia el templo. Audrey, Brendan y Cassie ya estaban avanzando por el pasillo. Se colocó detrás de ellos pensando desesperada cómo poner fin a aquello boda.

No quería montar una escenita. Tal vez, po-

dría hablar con Brad en el altar, pero, ¿la creería?

Al llegar junto a él, se dio cuenta de que Brad
ni la miraba.

–Queridos hermanos –comenzó el cura.

–Pss, pss –susurró Sam para que Brad la mirara.

Heather, reina de la frialdad con su vestido
blanco, se giró hacia ella, pero Brad no lo hizo.
Siguió mirando de frente como una estatua.

–Ejem, ejem –tosió Sam.

Audrey le dio un empujón para que se callara
que estuvo a punto de hacerle perder el equilibrio.

Fred Calhoun, el padrino, le dio a Brad un co-
dazo, pero él ni caso.

–El matrimonio es un lazo sagrado… –estaba
diciendo el cura.

Sam agitó el ramo de flores que llevaba.

Cassie le sonrió, pero Brad nada.

–Samantha, deja de hacer el tonto –le dijo su
madre sentada en primera fila.

Sam miró hacia atrás. Cientos de ojos la miraban. Todos menos Brad.

Empezó a desesperarse. ¿Qué podía hacer?

–Si hay alguien que tenga algo que decir, que
lo diga ahora o que calle para siempre –oyó que
decía el cura.

–¡Yo!

Sam se giró y vio a Joel.

Heather y Brad estaban pálidos y los invitados comenzaron a murmurar.

–¿Qué tiene que decir? –preguntó el cura.

–Que Heather Lovelace está embarazada de mí –contestó Joel.

Los invitados de Brad murmuraron indignados y alguien del lado de Heather gritó de júbilo y exclamó que aquello se ponía cada vez más interesante.

–Lo tenías que soltar, ¿verdad? –le espetó Heather.

–¿Es cierto? –le preguntó Brad.

Heather dudó y asintió.

Brad miró de repente a Sam como buscando una respuesta, pero ella, sintiéndose culpable, apartó la mirada.

Cuando volvió a mirarlo, él seguía mirándola muy enfadado. Miró a Joel y tomó a Heather de la mano.

–Continúe –le dijo al cura.

Sam sintió que se desmayaba. La noche anterior Brad le había dicho que no estaba enamorado de Heather, pero debía de ser mentira cuando estaba dispuesto a casarse con ella a pesar de que estuviera embarazada de otro.

La debía de querer con todo su corazón.

Sam se sintió morir.

Debía parar aquello como fuera.

–Brad y Heather, os declaro…

–¡No, padre, pare! –gritó–. No los puede casar porque… porque yo también estoy embarazada… de Brad.

El volumen de los murmullos se hizo insoportable. De reojo, Sam vio a su madre apoyar la

cabeza sobre el hombro de Dave y llorar descon-
solada.

Brad la miró y no dijo nada. Sam se tensó y se
preguntó si iba a descubrir su mentira.

El cura se cruzó de brazos.

—Estos niños necesitan padres, así que solo se
me ocurre una solución. Joel, venga para acá y
usted, Brad, póngase junto a Sam.

—Padre, no creo que sea una buena idea…
—objetó Brad.

—Es una idea excelente —contestó el cura—.
Dios perdonará vuestros pecados si los enmen-
dáis a tiempo.

—Pero, padre…

Sam notó que la cabeza le daba vueltas. No
podía casarse con Brad porque él no la quería.
Debía negarse a seguir adelante, pero entonces
corría el riesgo de que Brad insistiera en casarse
con Heather.

Sam tomó aire y le puso la mano en el brazo.

—Por favor, Brad. Ya te lo explicaré todo luego,
pero de momento cásate conmigo. Si no lo haces
por mí, hazlo por mi madre.

Brad miró a Vera, deshecha en lágrimas, y
asintió.

—Continúe, padre.

# CAPÍTULO 12

QUÉ DEMONIOS he hecho?», se preguntó Sam horas después en el banquete que estaban dando en un hotel de lo más lujoso.

Iba de grupo en grupo recibiendo la enhorabuena con una sonrisa forzada en la cara. No había pensado nunca en casarse, pero si lo hubiera hecho jamás habría imaginado hacerlo con un vestido rosa horrible y rodeada de desconocidos.

Había ignorado a su familia, pero a ellos no había parecido importarles demasiado. Su madre y Dave estaban sentados en una mesa dándose trozos de aguacate mutuamente, sus sobrinos jugaban con la fruta y Kristin estaba bailando con su novio, que era un encanto.

En cuanto a Jeanette y Matt… bueno, la terapia matrimonial debía de estar funcionando por fin porque estaba abrazados y felices.

–Vámonos –le gruñó Brad al oído.

Sam se estremeció. Era obvio que seguía enfadado con ella y no le extrañaba. Lo había obligado prácticamente a casarse con ella.

Aunque lo había hecho porque lo amaba, ¿lo

perdonaría él alguna vez? A juzgar por la frialdad con la que la miraba, lo dudaba mucho.

–Espera –contestó Sam intentando posponer
lo inevitable–. No nos podemos ir sin despedir-
nos.

–Nadie se va a dar cuenta –le aseguró Brad
tomándola del brazo y llevándola al ascensor–.
Nuestra habitación está en la planta veintidós.

La obligó a entrar en el ascensor y una vez allí
se dieron cuenta de que lo compartían con las
dos personas que menos les apetecía ver.

Heather y Joel ya habían dado a la planta
veintidós. Qué mala casualidad. Mientras el ascensor subía, Sam vio que Heather y Brad se miraban y sintió que el mundo se le caía a los pies.

¿Habrían deseado estar solos?

Joel abrazó a Heather de forma posesiva y
miró a Brad desafiante.

Al llegar a la planta veintidós, descubrieron
que sus habitaciones estaban una enfrente de la
otra.

Una ironía más de aquel día tan desgraciado.

Brad abrió la puerta y Sam entró en la habitación. Miró nerviosa a su alrededor y se puso a
balbucear.

–Vaya, qué muebles tan bonitos…

–Sam…

–Anda, y se ve el mar…

–Sam…

–Guau, qué televisor…

–Sam, no vamos a ver la televisión.

Sam lo miró asustada.

–¿Ah, no?

–No –contestó Brad furioso–. ¿Quién es el padre del hijo que esperas? ¿El francés?

–¿Jean Paul?

–No, no puede ser. Jeanette me dijo que lo dejasteis en Navidad. ¿Quién es? ¿Un antiguo novio? ¿Alguien que has conocido hace poco? Dime su nombre…

–Brad, ¿te has vuelto loco? ¡No estoy embarazada!

Brad dejó de pasearse por la habitación.

–No estás embarazada… –repitió enarcando las cejas–. Tenemos que hablar.

Sam lo miró a los ojos. No quería hablar. Iba a tener que contarle la verdad, que le había mentido para que no se casara con Heather.

Y, al hacerlo, corría el riesgo de que se enfureciera todavía más y la dejara antes de darle tiempo para convencerlo de que iba a ser mucho más feliz con ella que con la rubia.

Tenía que convencerlo y rápido.

–Bésame –le dijo.

–¿Cómo? –dijo Brad mirándola como si estuviera loca.

–Bésame –repitió Sam.

–Sam, no sé si es una buena idea… –dudó Brad.

–¡Por Dios! –exclamó Sam echándole los brazos al cuello y besándolo con la intensa pasión que llevaba tres días aguantando. ¿O habían sido tres años?

Brad la abrazó y Sam se encontró apretándose contra su cuerpo.

Brad la besó con pasión y Sam se perdió en el torbellino de sensaciones. Cómo lo deseaba…

–Sammy, tenemos que hablar…

En ese momento, llamaron a la puerta.

–¿Quién será? –preguntó Brad contrariado.

–Ni idea –contestó Sam deseando que, fuera quien fuera, se largara.

Quería que Brad la volviera a besar.

Volvieron a llamar.

Brad abrió y se encontraron con Joel y Heather.

–¿Te lo ha dicho? –le preguntó Joel a Sam entrando en la habitación.

–¿Qué me tiene que decir? –preguntó Sam confundida.

–Maldición –murmuró Brad.

Sam lo miró y volvió a mirar a Joel.

–¿Qué me tiene que decir? –repitió.

–Que no estáis casados. El cura era de mentira.

–¿Cómo? –exclamó Sam.

Joel asintió.

–Tan de mentira como el compromiso entre Heather y Rivers –dijo mirando a Brad–. El resto explícaselo tú. Nosotros tenemos que tomar un avión a Las Vegas para casarnos de verdad.

–De eso nada –objetó Heather–. No pienso casarme contigo…

Joel cerró la puerta dejando a Sam y Brad a solas de nuevo.

# CAPÍTULO 13

**B**RAD se pasó los dedos por la nuca.

–Te lo iba a decir…

–¿Ah, sí? ¿Y qué me ibas a decir exactamente?

–Todo… deja de mirarme así. Te he dicho que teníamos que hablar y te has abalanzado sobre mí como una leona en celo.

–Porque no sabía que lo que me has estado diciendo estas tres últimas semanas era mentira –contestó Sam enrojeciendo–. ¿No te ibas a casar con ella?

–No, Heather es actriz, así que la contraté para que se hiciera pasar por mi prometida.

Sam se quedó mirándolo fijamente.

–¿Por qué? –le preguntó recordando lo mal que lo había pasado pensando en cómo romper aquel compromiso para que Brad no sufriera.

–¡Porque ya no se me ocurría qué hacer para conseguir que me vieras como algo más que un amigo! –confesó Brad–. Sabía que era una apuesta arriesgada, pero supuse que lo último que me quedaba por hacer era que me vieras prometido con una rubia espectacular. A ver si así reaccionabas –sonrió–. Si eso no funcionaba, confiaba en que te sacrificaras para que no me casara con la mala mujer que Heather fingía ser.

–¿Fingía ser? ¿No es así de verdad? ¿No era cierto que solo te quisiera por tu dinero y que odiaba a los niños?

–No –confirmó Brad–. Tú siempre me has protegido, así que sabía que jamás dejarías que una mujer así se casara conmigo.

Sam lo miró anonadada. ¡Cómo la conocía!

–¿Has invitado a quinientas personas a una boda de mentira?

–Se nos fue un poco de las manos, pero Heather pensó que no iba con su personaje una boda pequeña. Había que hacerlo por todo lo alto y, así además, ayudar a tu hermana.

–¿Y toda esa bobada de la carrera para las ratas de árbol de Hollywood? ¿También era mentira?

Brad asintió.

–Un poco forzado, pero sabía que jamás dejaría que me casara con alguien que se dedica a salvar ratas.

–¿Y la otra noche en la tienda? ¿Sabías que quería que me besaras?

–No exactamente. Me di cuenta de que pasaba algo cuando Heather me dijo que Kristin le había pedido que fuera a la tienda a las diez y media de la noche para revisar los menús, pero no supe de qué se trataba hasta que llegue y te vi tan… amistosa.

–¡Eres una rata de árbol! –exclamó Sam levantando el puño.

Brad le agarró la mano y sonrió.

–Míralo desde mi punto de vista. ¿Sabes lo que significó para mí que me pidieras que te besara? ¿Sabes cuánto tiempo llevaba soñando con ese momento?

–Pero me mentiste –objetó Sam cruzándose de brazos.

Brad enarcó las cejas.

–Mira quién habla, la que ha dicho que estaba embarazada.

–Eso ha sido diferente. No me había dado cuenta de que tú te lo fueras a creer. Lo he hecho para que no te casaras con Heather.

–Eres como una veleta. Heather me dijo después de comer contigo que estabas enamorada de mí, pero cuando fui a tu casa anoche te comportaste como si quisieras que me casara con ella.

Sam se sonrojó.

–Oí a Joel y a Heather discutir. Él dijo que estaba embarazada y yo creí que el niño era tuyo.

–Ahora lo entiendo –dijo Brad–. Por eso decidiste sacrificarte –añadió mirando al cielo–. Debo de estar mal de la cabeza. Me vas a volver loco.

–¿Yo? –dijo Sam con el corazón a mil por hora–. ¿Y tú qué? ¿Era necesaria tanta farsa?

–No lo sé –contestó Brad tomándola de las manos y poniéndose serio–. Nada de lo que había intentado antes había funcionado y sabía que, si te volvía a oír decir lo «buena persona que era» o que «me querías como un hermano», me iba a poner violento.

—Pero nunca te comportaste como si yo te gustara. Me dijiste que estabas enamorado de Blanche Milken.

—Porque te había visto salir corriendo en cuanto un chico te proponía algo sexual —rio Brad—. No dejamos que ninguno de tus novios te tocara. En cuanto te pedían un poco de compromiso, los dejabas. La única manera que tenía de estar cerca de ti era fingir que te quería como a una hermana.

—No es verdad —protestó Sam débilmente.

—Sí lo es. En Navidad, cuando te presentaste con el francés después de dos años sin verte, me puse furioso, pero sabía que acabarías dejándolo.

—Me sorprende que no te rindieras.

—Estuve a punto de tirar la toalla un par de veces. Salí con otras chicas, pero me di cuenta de que nunca podría querer a nadie como te quería a ti… a pesar de lo frustrado que me tenías.

—Así dicho, parece que era horrible —dijo Sam mirando el suelo.

—No, no lo eras. Sabía lo mal que lo pasaste cuando tu padre dejó a tu madre y vi cómo el embarazo no deseado de tu hermana Jeanette y su apresurada boda te afectaban. Lo sorprendente habría sido que no te dieran miedo los hombres.

Sam sintió que se le nublaba la vista. Brad siempre la había entendido, incluso cuando no se entendía ni ella misma. ¿Cómo iba a vivir sin él?

—Ojalá me lo hubieras dicho antes —se lamentó—. Aunque admito que tienes razón, puede que te hubiera apartado de mi vida… No te puedo leer el pensamiento, Brad, así que me vas a tener que decir lo que sientes por mí.

–No me resulta fácil hablar de algo tan importante –dijo Brad apretándole las manos y tomando aire–. Te quiero, Sam. Siempre te he querido, pero ya no puedo esperar más. ¿Tú me quieres o no?

–Claro que te quiero –contestó Sam con lágrimas en los ojos–. He sido una idiota por no haberme dado cuenta antes.

Brad sonrió feliz y la besó hasta dejarla sin aire.

–Cásate conmigo –le pidió–. De verdad esta vez.

Sam asintió.

–Pero con ciertas condiciones –añadió.

Brad la miró confundido.

–Me tienes que enseñar a patinar en línea…

–Lo intentaré.

–Prométeme que no vas a participar más en actos benéficos a favor de las ratas…

–Eso dalo por hecho. ¿Algo más?

–Sí, que me ayudes a quitarme este vestido tan horrible.

Brad la miró con un brillo especial en los ojos y le bajó la cremallera.

–Sammy, tus deseos son órdenes para mí.

# Dime que me quieres ◀

Joni Montgomery necesitaba un hombre que se hiciera pasar por
su novio y la ayudara a convencer a su familia de que dejaran de
buscarle marido. Carter Sullivan era su última esperanza: un tipo
alto, guapo y dispuesto a participar en su plan. Pero había un problema, era demasiado perfecto como para no caer en la tentación.
Carter creía en el amor a primera vista y eso era precisamente lo
que le había ocurrido con Joni; lástima que ella estuviera empeña-
da en que lo suyo fuera solo algo temporal. No obstante, Carter
estaba convencido de que Joni sentía lo mismo que él...

## CINDI MYERS

**LA AUTORA** ▲

**EL TÍTULO**

# SUPER
# BIANCA.®

**LOS PROTAGONISTAS** ▶

Nº 157

SE BUSCA AL HOMBRE PERFECTO. ¡URGENTE!

# ¡YA EN TU PUNTO DE VENTA!

# CANDACE CAMP

## *El Poder del Amor*

Olivia Moreland llevaba toda la vida rechazando los poderes extrasensoriales que tenía; de hecho, se dedicaba a rebatir las habilidades de los médiums de Londres. Pero cuando Stephen, lord St. Leger, le pidió ayuda para investigar a un supuesto parapsicólogo, Olivia se dio cuenta de que no podía hacer caso omiso de la peligrosa presencia que percibía en su antiquísima casa... Como tampoco podía pasar por alto la increíble conexión que había entre Stephen y ella, como si se conocieran de antes...
Stephen se había marchado de Blackhope Hall cuando su hermano mayor le había arrebatado el título y a la mujer que amaba. Ahora, tras la muerte de su hermano, había regresado y se había

encontrado a su familia envuelta en un escándalo. ¿Quién estaba tras la muerte de su hermano, un espíritu oscuro, o el parapsicólogo que afirmaba haberlo descubierto? Y, sobre todo, ¿quién era esa Olivia Moreland que había conseguido volver a despertar la pasión en él?

## El sello de las ESTRELLAS del relato

N° 97

HARLEQUIN
MIRA

# Deseo®

## ALMAS APASIONADAS

### Julianne MacLean

N° 5-67

La guardaespaldas Jocelyn MacKenzie sabía perfectamente que no debía mezclar los negocios con el placer, sobre todo si su misión era proteger al guapísimo doctor Donovan Knight. Iba a necesitar todas sus fuerzas para resistirse a la sexy mirada de aquellos ojos verdes, pero más le valía no dejarse distraer por el bien de su cliente... y de su propio corazón.

¿En qué estaría pensando Donovan cuando decidió contratar como guardaespaldas a aquella belleza? En cuanto la vio registrar su apartamento en busca de pistas, Donovan deseó convencerla de que dejara a un lado los negocios...

**Era un asunto muy arriesgado**

## ¡YA EN TU PUNTO DE VENTA!

# Julia ®

Becky Ryan había estado a punto de ser detenida por el agente
Nate Dalton y poco después se encontraba haciendo de niñera
de su encantadora sobrina... e incluso accediendo a hacerse pasar por su futura esposa. Becky sabía que le debía el favor por
haber pasado por alto su inocente infracción. Así que le ofreció
darle algunas lecciones sobre niños a aquel guapísimo tío y quizá
después él le propusiera algo más duradero...

## JENNIFER DREW

## Lecciones de amor

*¿Cómo iba a ser la niñera
cuando al que quería cuidar era
al tío de la criatura?*

N° 5-31